Hallier ou l'Edernité en marche

À Donald Trump, *so american leader,*

et à son épouse Melania

en souvenir de l'Amiic à Genève et de la Trump Organization

À Emmanuel Macron, homme d'État et pianiste devenu chef d'orchestre, qui a changé la vie de nombreux jeunes français, à la stupeur niaise de divers sénateurs et autres encombrants de la République française,

et à son épouse Brigitte

« Les épines que j'ai recueillies viennent de l'arbre que j'ai planté. »

Lord Byron, *Le Pèlerinage de Childe Harold* (1818)

Maquette :
Caroline Verret

Correction et révision :
Paula Gouveia-Pinheiro

Photo de couverture : *L'Homme qui marche I*, Alberto Giacometti, Fondation Alberto Giacometti-Stiftung (Zurich, Suisse, 1960).

Édité par NEVA Éditions
ISBN : 978-2-35055-247-7

Jean-Pierre Thiollet

Hallier ou l'Edernité en marche

Avec une contribution de François Roboth

Éditions

« L'esprit libre et curieux de l'homme est ce qui a le plus de prix au monde. »

John Steinbeck, *À l'est d'Éden*

« Le marin que tu m'as envoyé m'a dit que tu étais imprudent. Cela m'a rassurée. Sois toujours imprudent, mon petit : c'est la seule façon d'avoir un peu de plaisir à vivre dans notre époque de manufactures... »

Jean Giono, *Le Hussard sur le toit*

À tout lecteur de *Hallier, l'Edernel jeune homme* [1] :

« Tu bus cette absinthe avec cœur :

Rebois de cette essence amère !

C'est toujours la même liqueur,

Mais ce n'est plus le même verre [2] ! »

(1) Paru chez Neva Éditions en 2016.

(2) Texte calligraphié à l'encre rouge par Jules Barbey d'Aurevilly, à l'intention de Charles Coligny (1834-1874) et à l'occasion de l'envoi d'un exemplaire du livre *Une vieille maîtresse.*

Mise en garde

Âmes sensibles, éloignez-vous de ce livre !

Comme *Hallier, l'Edernel jeune homme,* ce nouvel *opus* ne relève pas de la production des ouvrages ordinairement proposés dans les circuits de distribution de masse et promus dans les médias télévisuels. Certains aspects de son contenu peuvent être de nature, de-ci de-là, à troubler et à déplaire.

— Voyons... Qu'y a-t-il au menu?

Dessin de Jean Effel (1908-1982), extrait de son premier album intitulé *Au temps où les bêtes parlaient.*

Sommaire

Préambule

> « Vous envierez un peu l'Edernel estivant,
> Qui fait du pédalo sur la vague en rêvant,
> Qui passe sa mort en vacances… »
>
> d'après Georges Brassens,
> « Supplique pour être enterré à la plage de Sète »

Bonjour ! Ce n'est évidemment pas Jean-Edern Hallier qui vous écrit. Ni l'un de ses nombreux vrais-faux amis. Juste une connaissance qui n'est pas adepte de la nostalgie mais refuse l'oubli. Que Jean-Edern repose en paix, soit… *Requiescat in pace,* formule rituelle bien connue. Simplement, il n'est pas du tout sûr qu'elle puisse s'appliquer dans son cas.

Quand il est mort, en janvier 1997, l'atmosphère se voulait fin de siècle. Du moins était-ce un sentiment largement répandu. Il y eut bien la dissolution de l'Assemblée nationale quelques mois après sa messe de funérailles à Paris, en l'église Saint-Ferdinand, dans le 17e arrondissement, le passage du franc à l'euro, l'an 2000, les feux d'artifice, et le 11 septembre… 2001. Pourtant rien n'y a fait. New York, cela restait loin des côtes normandes… Jacques Chirac eut beau être réélu avec plus de 80 % des voix, ce « roi fainéant » eut, hélas, un accident vasculaire cérébral, et ses mandats n'ont guère laissé d'autre trace que le discours de Dominique de Villepin devant le Conseil de sécurité des Nations unies, quand le ministre des Affaires étrangères sut exprimer avec panache la vive réticence de la France face à une intervention militaire alliée contre l'Irak.

Nicolas Sarkozy a suscité bien des espoirs, mais cet obligé de Bolloré [1], qui paraissait ne pas pouvoir franchir le bois qui séparait les deux hommes [2], s'est très vite révélé un brasseur d'air hors pair, un agitateur pathétique, dérisoire promoteur de quelques projets énormes, profitables à certains milieux d'affaires et groupes divers (Vinci, Eiffage, Bouygues...) mais ruineux pour l'État français... Quant à François Hollande, dit « Flanby » [3] ou « le Nullissime » [4], qui n'avait rien du héros pour gouverner et rendait la démocratie désespérante – encore que ce qu'il y avait de bien avec lui, c'est que personne ne songeait à lui couper la tête puisqu'il n'en avait pas... –, il fut sans doute à la fois le plus gentil et le plus insignifiant président de toutes les Républiques françaises. « L'ambition dont on n'a pas les talents, avait prévenu Chateaubriand, est un crime [5]. » Après avoir été élu, ce drôle de Roméo à scooter répéta à Paris, à deux tours de roue de l'Élysée, rue du Cirque, ses numéros de trapèze avec sa Juliette, Julie Gayet, plaisante starlette de coulisses et de second plan. Les viennoiseries étaient servies après l'effort sur tapis de sol ou descente de lit. Durant les dernières années de mandat, une fois décrédibilisé et humilié en direct sur BFM TV par le « pied de nez » de Leonarda, une adolescente originaire du Kosovo, il présida le comité des fêtes du palais présidentiel, veilla à faire prendre sa chevelure déclinante en main experte par un coiffeur attaché à sa personne et rémunéré à hauteur de 9 895 euros brut par mois, organisa un déplacement faussement impromptu et vraiment ridicule au domicile de Lucette, à Vandœuvre-lès-Nancy [6], livra quelques confidences impayables afin que tous les Français sachent à quoi s'en tenir sur le degré de lâcheté de leurs magistrats, « bien planqués dans leurs bureaux [7] », et invita le tout nouveau président des États-Unis, Donald Trump, à Eurodisney afin « qu'il comprenne ce qu'est la France [8] » (sic)... Il laissa aussi son fils Thomas jouir de La Lanterne [9]... Un pavillon de chasse en mode grand style haute époque, devenu résidence d'État, parmi d'autres, de la République française, avec 36 fenêtres et portes-fenêtres, piscine éclairée aux chandelles le soir, court de tennis et deux ailes où est hébergé un important personnel, le tout formant un domaine de quatre hectares entouré, comme il se doit, de hauts murs pour se mettre à l'abri de tout regard de travers et des murmures… Rassurez-vous, à La Lanterne, on n'a pendu personne, et c'est bien normal. Cela ne se fait plus, et puis cela constituerait une grossière erreur historico-sémantique car la fameuse expression « Ah ! ça ira, ça ira, ça ira (…) à la lanterne (…) on les pendra ! » ne vient pas du tout de là. À ce petit jeu cependant, du népotisme conçu comme un art de vivre, le XXe siècle ne s'est pas achevé. Il s'est benoîtement prolongé. Vingt ans durant, avec, dans de nombreux domaines, dont l'aménagement urbain et l'architecture, la reproduction imperturbable, « avec la bonne conscience de l'inconscience » pour reprendre la formule de Jean Nouvel (10), des erreurs souvent colossales du passé… Le début du XXIe siècle est donc survenu fort lentement. Sur la zone F de l'Euroland s'entend, qui a été le dernier membre de l'Union européenne à sortir de la crise financière de 2008, dite « crise des subprimes », et qui est championne ès immobilisme par excellence. Tout voyageur peut d'ailleurs prendre la mesure de cette pesanteur française qui s'observe partout et pas seulement aux environs de Tours, sur l'autoroute A10, où durant cinq ans ou plus, s'enkystent des portions de macadam à vitesse maximale limitée à 70 ou 90 kilomètres par heure, sans la moindre réduction tarifaire, qui mettent en faction trois ou quatre fantassins du bitume et deux ou trois engins de terrassement plus ou moins cacochymiques, là où il faudrait aligner un bataillon et prendre exemple sur la force de frappe américaine déployée dans les années 1950 pour créer, *ex nihilo* et en quelques mois, des camps militaires et autres équipements d'envergure. Mais *motus !* C'est Vinci Autoroutes qui a géré et qui, ayant tous les droits, a instauré des marges bénéficiaires génératrices de dividendes mirifiques pour des familles d'actionnaires bien initiés. Une belle leçon tirée de l'époque des plus avides fermiers généraux : percevoir le maximum dans la discrétion et l'anonymat, sans prendre le moindre risque de finir à la potence !

En vérité, c'est en 2014 que le nouveau siècle s'est annoncé. Ou plutôt a fait mine de s'annoncer. En particulier quand Emmanuel Macron, membre d'un gouvernement immobile, s'est montré le plus résolument réformateur, mais aussi le plus empêché d'agir. Comme l'a fort bien analysé Renaud Dutreil deux ans plus tard, « il a pris des risques, en disant haut et fort ce qu'il pensait sur l'état de la France et la nécessité de la réformer. Ce courage l'a exposé aux critiques mais l'a distingué (11) ».

Les comptes rendus des débats qui eurent lieu au Parlement au sujet de la « loi Macron » sont riches en morceaux d'anthologie. À l'exemple de ce dialogue au Sénat, le 12 décembre 2014 (publié au *Journal officiel*) :

« **M. Jean-Pierre Raffarin.** Nous voulons de bonnes réformes !

M. Emmanuel Macron, *ministre.* Les bonnes réformes, ce sont sans doute celles que vous n'avez pas faites pendant dix ans ! Avec les réformes, c'est toujours la même chose : "Faites-les ailleurs, mais pas chez moi !" (Mêmes protestations sur les mêmes travées.) C'est votre spécialité ! Il faudrait les faire non pas pour les professions réglementées, mais pour les salariés ; pas ici, mais chez les autres. Cela n'a pas de sens !

M. Alain Gournac. Arrêtez !

M. Emmanuel Macron, *ministre.* L'esprit de ce projet de loi, c'est de débloquer la société française partout où elle peut l'être ; c'est de moderniser les conditions de notre fonctionnement partout où elles peuvent l'être. »

C'est à partir de ce moment-là qu'Emmanuel Macron s'est mué en homme d'État, à mi-chemin entre de Gaulle et Mendès-France ou au-delà. Prêt à affronter en face – ou de biais – les conservatismes les plus ancrés. La droite française s'est, elle, complètement fourvoyée en ne soutenant pas cette loi (12), en particulier les articles au sujet des activités réglementées, dont le notariat, qui demande toujours plus à l'État pour conforter sa position. Emmanuel Macron a tenté d'entrouvrir cette profession, contrairement à M. Fillon, qui se proposait, lui, d'en offrir davantage aux notaires installés, non seulement en abrogeant la loi Macron – sa première mesure programmée sitôt son arrivée au pouvoir –, mais encore en leur promettant rien moins que la restauration de l'Ancien Régime en général, la mise aux oubliettes de l'Autorité de la concurrence en particulier, et, épingle diamantée sur la cravate en soie, l'octroi des délivrances d'actes du cadastre (ce qui revenait à rendre lourdement payante pour le citoyen la délivrance d'une copie d'un acte cadastral jusqu'alors gratuite).

Veni, vidi, Vichy !

La « feuille de route » idéologique de M. Fillon avait le mérite d'être à la fois claire et abjecte. Du moins dans sa version initiale mise au point en partie sous l'impulsion d'un ancien PDG d'Axa, châtelain en Anjou et grand amateur de belle chasse. Le « petit marquis » en question n'était autre que M. Henri de La Croix de Castries qui s'inséra dans le cercle des principaux conseillers de M. Fillon après avoir quitté précipitamment son fauteuil de président d'Axa à la surprise générale de la presse et du public, mais pas du service du renseignement territorial ni des personnes très informées. Fin 2016, semble-t-il propulsé par une agence de communication parisienne dirigée par Anne Méaux, il faisait l'objet de pleines pages dans *Le Monde* qui l'annonçait comme futur Premier ministre... Rien moins. Après les réveillons de Noël et du Nouvel An, le candidat Fillon apparut sous son vrai jour. Les révélations sur ses turpitudes et quelques-unes de ses zones d'ombre démontrèrent combien la notion d'éthique lui était étrangère, lui qui avait envoyé le 20 septembre 2012 un tweet d'anthologie, gravé sur écran, dans le nouveau marbre de la technologie numérique : « Il y a une injustice sociale entre ceux qui travaillent dur pour peu et ceux qui ne travaillent pas et reçoivent de l'argent public... »

Se revendiquant « gaulliste » et volontiers présenté comme tel, ce fils et frère de notaire, candidat des notaires installés et des médecins rentiers de la Sécurité sociale et du *numerus clausus*(13), affirmait qu'il allait être le président du « redressement national », ces mêmes mots qu'utilisait le maréchal Pétain dans son discours du 12 juin 1941 ! Si ce candidat avait pu poursuivre ses discours néo-vychistes, il aurait sans doute fini par rendre les envolées insoumises de Jean-Luc Mélenchon plus que légitimes et le babil idéologique de Nathalie Arthaud, émouvant voire onirique...

À l'évidence, Jean-Edern a eu mille fois raison de le rappeler dans *Les Puissances du mal,* la ville de Vichy est bien le « centre géodésique de la culpabilité française », « la capitale morale de la France, puisque tous ceux qui ont eu partie liée avec le régime sont toujours en place ». Oui, la France des « gens de bien », de la Restauration de 1815, de la capitulation de 1871, de Pétain en 1940... Cette France qui, par devant, consent à feindre de vouloir aller « toujours de l'avant » et qui, par derrière, et une fois installée ou réinstallée aux commandes, ne jure que par le corporatisme et a pour fébrile credo : « Surtout, ne rien changer ! » Cette France rance, ultra-conservatrice au mieux, réactionnaire au pire, qui fait de la rente de situation l'une de ses valeurs cardinales et qui s'oppose à la France progressiste de 1789 et de 1792... alors même qu'à notre époque, à en croire Maurice G. Dantec, la France ressemble à « un piano suspendu à une corde à linge au 110e étage du World Trade Center » (14)... Et qu'elle n'est plus qu'une zone administrative, percluse de népotisme politique, où chacun sait – depuis 1870 – qu'un bon piston y vaut souvent mieux qu'un bon diplôme ou un vrai savoir-faire... À la vérité, cette France de la cohésion minimale et de l'hétérogénéité maximale n'est même plus qu'un patchwork de zones de sous-France, enclaves minées par le clientélisme des collectivités locales (15) et flashées par les radars de la fiscalité routière. Des zones où les cambrioleurs triomphent et l'insécurité règne, où l'État ne peut qu'inspirer la plus vive défiance, quand la nuit, les habitants sont amenés à dormir avec une carabine à portée de main et que les gendarmes sont, au mieux, seulement deux en patrouille pour surveiller une portion de territoire qui fait 30 kilomètres de rayon... Comme c'est le cas dans le sud du département de la Vienne, à moins de 350 kilomètres de la place Beauvau à Paris (16) ! Il est vrai que dans ces endroits très provinciaux, un procureur de la République pouvait, en 2016, s'y montrer infiniment plus prompt et zélé à prendre en considération les plaintes imbéciles et dépourvues de fondement juridique de notaires relevant de la Restauration de 1815 et de l'époque de Vichy (17), et à veiller à leur devenir, qu'à se préoccuper des malheurs quotidiens des habitants plus qu'ordinaires d'un département d'anciens éleveurs de baudets... Durant les années 1990, il fallait souvent plus de 700 kilomètres pour que le mépris des autorités parisiennes se fasse pleinement ressentir. Les habitants de Toulon et d'autres villes de Provence-Alpes-Côte d'Azur sont bien placés pour le confirmer. Un quart de siècle plus tard, le dédain à la Kouchner, volontiers tutoyeur et condescendant(18), a pris une extension spectaculaire : moitié moins de kilomètres suffit amplement. Il arrive même qu'il se perçoive dès le franchissement du vieux périphérique parisien.

---

(1) Il s'agit bien sûr de Vincent Bolloré, qui mettait son avion *Falcon* et son yacht *Paloma* à la disposition du nouveau chef d'État. Devenu commandeur de la Légion d'honneur en 2009, cet homme d'affaires s'est fait connaître par la suite comme l'industriel nabab de la « télé poubelle » en mode Hanouna, qui ne rend peut-être pas les téléspectateurs plus sots qu'ils ne sont mais où la bêtise et la vulgarité se font plus sonores et plus visibles...

(2) Par référence aux paroles de la chanson de Tino Rossi, « je ne peux franchir le bois qui nous sépare »...

(3) Surnom attribué à Arnaud Montebourg (tout ce qui restera, peut-être, de ce nouvel apiculteur qui fut ministre de l'Économie, du Redressement productif et du Numérique) mais qui serait dû en fait, selon ce même Arnaud Montebourg, à Bruno Gaccio, l'un des auteurs de l'émission « Les Guignols de l'info », de 1992 à 2007 sur Canal+, pour l'avoir largement popularisé. Martine Aubry, qui utilisait volontiers ce surnom pour désigner M. Hollande, s'en est vu elle aussi, parfois, attribuer la maternité...

(4) Parmi les nombreux surnoms de l'ancien président de la République française figurent également « Capitaine de pédalo » donné par Jean-Luc Mélenchon, « Fraise des bois », « M. Petites blagues », « Le Pingouin », « M. Bricolage », « Pépère », « Le président casqué », « Edredon », « Babar, le roi des éléphants »...

(5) Dans une lettre à Juliette Récamier, datée du 29 juillet 1830, dont le contenu est reproduit dans le tome 5 des *Mémoires d'outre-tombe.*

(6) S'inscrivant dans une stratégie de campagne électorale, ce déplacement était censé avoir un caractère impromptu mais mobilisa finalement, outre le cabinet du chef de l'État, les policiers en charge de sa protection rapprochée, les services du déminage, un avion et un hélicoptère, le préfet de Meurthe-et-Moselle, le maire de Vandœuvre-lès-Nancy, son conseil

municipal au grand complet et quelques journalistes triés avec un soin particulier. Le tout pour s'apercevoir que Lucette, la brave retraitée ordinaire, n'était autre qu'une amie politique, candidate aux dernières municipales sur la liste socialiste... Une Lucette vraiment pas représentative du pays profond !

(7) De fait, il faut bien reconnaître que les procureurs français sont, pour la plupart, sans doute les seuls au monde à pouvoir rivaliser avec leurs homologues turcs pour décrocher la palme d'or du festival de la lâcheté, du cynisme, de l'aveuglement et de la bêtise.

(8) « J'enverrai un billet pour qu'il vienne à Eurodisney et qu'il comprenne ce qu'est la France », avait très précisément déclaré M. Hollande le 25 février 2017, durant le discours qu'il prononça à l'occasion d'une manifestation organisée pour l'anniversaire des vingt-cinq ans d'Eurodisney. Des propos parmi d'autres de ce très improbable chef d'État qui firent perdre le sens de l'humour à plus d'un citoyen, déclenchèrent une tempête sur le réseau social Twitter et valurent à la France d'être la risée du globe terrestre. C'est d'ailleurs ce même M. Hollande qui, en 1983, fut la voix mystérieuse de « Caton » sur les ondes de France Inter, pour la promotion d'un livre relevant d'une manipulation politique, et qui, après avoir dû renoncer – une piteuse première dans l'histoire de la Ve République – à se représenter à l'élection présidentielle, osa dès fin août 2017, toute honte bue et atteint sans doute d'un syndrome de type François II, profiter du Festival du film francophone à Angoulême pour jouer les pipelettes *has been*... au point de commenter devant une caméra de TV5Monde l'action de son successeur ! Ce qui, au passage, permit de vérifier une nouvelle fois qu'il prenait vraiment les Français pour des amnésiques du plus haut degré... En mars 2017, lors du décès de M. Henri Emmanuelli, il avait salué une « belle figure morale » (sic), « un homme droit » (re-sic), un « socialiste de cœur, de raison et d'action » (re-re-sic)... Comme si l'affaire Urba n'avait jamais existé et comme si la condamnation fin 1997 du sieur Emmanuelli pour complicité de trafic d'influence à dix-huit mois de prison avec sursis et à deux ans de privation de ses droits civiques relevait d'une petite blague entre amis !

(9) Selon un article de Michel Richard paru dans *Le Point* du 27 janvier 2017 et repris notamment par *Valeurs actuelles.com,* l'aîné des enfants de M. Hollande et de Mme Royal a profité de cette résidence mise à disposition de son père par l'État français pour y organiser des « pool parties ». Avec au programme, pour ses invités, bons repas, séances de sirotage de cocktails servis au bord de la piscine, et hébergement dans des chambres préparées à leur intention...

(10) *Le Monde,* 28 mars 2017.

(11) *L'Opinion,* 31 août 2016.

(12) À de rares exceptions près, dont celle de Frédéric Lefebvre qui quitta par la suite Les Républicains et est depuis novembre 2017 membre fondateur d'Agir – La Droite constructive.

(13) Pour qui cherchait à comprendre pourquoi M. Fillon ne s'effondrait pas dans les sondages avant le premier tour de l'élection présidentielle 2017, il lui suffisait d'avoir rendez-vous chez un notaire ou chez un professionnel de santé (pharmacien, médecin, dentiste...) pour prendre la mesure des soutiens inconditionnels et des « faiseurs d'opinion » dont bénéficiait le candidat LR-UDI...

(14) *Libération,* 22 janvier 2004.

(15) Emmanuel Macron a le grand mérite – il convient de le souligner – de ne pas se contenter d'afficher sa volonté de mettre fin à cette situation, au grand dam des potentats locaux, furieux de ne plus pouvoir abuser du curseur fiscal sans prendre le risque d'un minimum d'incidences politiques et d'être moins à l'aise pour faire supporter par leurs administrés, avec désinvolture et dans le cadre d'une démocratie confisquée, les lourdes conséquences de leur simili-gestion.

(16) *Centre-Presse,* 17 novembre 2017, « Les cambrioleurs touchés dans leur fuite ».

(17) Au passage, il convient de rappeler ce qui relève, semble-t-il, d'un secret de Polichinelle dans les milieux les mieux informés, à savoir qu'en cette même année 2016, une partie très significative du revenu des notaires français provenait toujours d'un tarif négocié avec le régime de Vichy pour services rendus dans le cadre de l'aryanisation des biens juifs.

(18) Allusion à l'usage du tutoiement par cet ancien ministre de la Santé et de l'Action humanitaire de M. Mitterrand à l'égard du comédien Yassine Belattar à la fin de « L'Émission politique » sur France 2, le 30 novembre 2017, avec Jean-Luc Mélenchon comme invité.

« Regardez dans les yeux de la prochaine génération (...)
Vous, les ministres de la criminalité... »
(Look into the eyes of the next generation (...)
You ministers of crime...)

Alphaville (Hartwig Schierbaum, dit Marian Gold ; Bernhard Lloyd ;
Ricky Echolette ; Michael O'Ryan), « Next generation »

Vingt ans après

« Où s'en vont mourir les rêves
Quand un jour nouveau se lève
Quand s'éloigne du rivage
Les bateaux avec la barque
Où s'en vont-ils, dans quel pays ? »

Eva (Eva Killutat, dite),
« Où s'en vont mourir les rêves »

Que cela plaise ou non, en France, ou ce qui en tient lieu, la promulgation en août 2015 de la loi Macron a représenté un tournant historique. Bien sûr, ce ne fut a priori qu'illusion puisque adoptée après 412 heures de débat parlementaire et 2 329 amendements votés, cette nouvelle législation ne fut d'emblée que partiellement appliquée. Si des cars confortables et deux fois moins chers que le train circulèrent bel et bien, en dépit de brimades de tous ordres (1), son volet consacré aux professions surprotégées, aux dérives parfois mafieuses (2), resta sans suite. Deux ans plus tard ne figuraient qu'une dizaine de « notaires Macron » au compteur. Au lieu des 1 650 attendus… Tant et si bien que ce sont l'élection le 7 mai 2017 d'Emmanuel Macron à la présidence de la République et le second tour des élections législatives le 18 juin 2017 qui ont marqué, vingt ans après la mort de Jean-Edern, le vrai début du XXIe siècle.

Dès le 23 avril 2017, au soir du premier tour du scrutin, l'événement a pris toute sa dimension, et le candidat Emmanuel Macron, qui affichait en homme d'État sa volonté de casser les vieux codes des conflits partisans sans fondement réel et de s'affranchir des solidarités de clan, pouvait débuter ainsi sa profession de foi pour le second tour : « Le 23 avril dernier, les Français ont fait le choix d'écarter des responsabilités les deux partis qui gouvernent la France depuis trente ans. Ils ont ouvert un nouveau chapitre de notre vie politique et de l'histoire de notre pays. » Emphatique, le propos ? Nenni, nenni. Un simple constat, irréfutable, devant la faillite d'un système politique dont les institutions justifiant souvent la plus grande défiance et les pratiques volontiers à bout de souffle ne faisaient que s'inscrire au sein d'une fausse démocratie, avec des riches qui s'enrichissent et des pauvres qui s'appauvrissent, avec des représentants hors sol ne représentant et ne servant plus qu'eux-mêmes… et une absence quasi totale de réformes structurelles, en dépit de leur urgence souvent criante.

Du début des années 1980 à 2017, les pouvoirs publics français ont ignoré le message adressé par Alain Delon, alias le jeune Tancrède, à son oncle incarné par Burt Lancaster, dans *Le Guépard,* le célèbre film de Luchino Visconti adapté du roman éponyme de Giuseppe Tomasi di Lampedusa : « Si nous voulons que tout continue, il faut d'abord que tout change… » Ils ont délibérément opté pour l'immobilisme et l'inaction, privilégié le statu quo, conforté les rentes de situation, encouragé les abus de position dominante, dans les domaines tant juridiques que médicaux. Rejetant les jeunes générations, ne leur concédant que des stades de football (3) ou des skate parks pour les distraire de l'enjeu essentiel de leur devenir ou des emplois aidés pour mieux les humilier ou les « apprivoiser », ils ont veillé au maintien ou au renforcement des barrières de protection des personnes en place. À force de miser sur un présent rapetissé qui n'est que du passé, ils se sont moqués de l'avenir, au risque de provoquer un effet boomerang dont la dimension politique et sociétale s'amorce depuis 2017, avec en particulier une génération Y individualiste assumée, qui récuse l'État, avec ses institutions fissurées de toutes parts et frappées d'obsolescence [(4)], ses anciens codes napoléoniens ou ses vieux repères louis-philippards, et une certaine conception du travail, dès lors qu'elle n'est pas une forme de libération et qu'elle apparaît comme un marché de dupes… Le passage d'un environnement où tout était prévisible et défini par les sphères dirigeantes à un contexte où tout devient incertain pourrait réserver bien des surprises et des conflits. « La société ne saurait, comme se plaît à le marteler l'entrepreneur franco-libanais Oussama Ammar, avancer dans le déni ou dans l'indifférence. »

En tout cas, ce n'est pas le double fait – simples exemples – d'avoir instauré un CICE (Crédit d'impôt pour la compétitivité et l'emploi), soit l'octroi aux grandes entreprises, à leurs hauts dirigeants et à leurs actionnaires de dizaines de milliards d'euros sans le moindre contrôle ni une quelconque contrepartie – ou d'avoir empêché la création d'au moins 30 000 emplois dans les professions juridiques dites « réglementées » qui est de nature à témoigner favorablement du contraire… Résultat implacable de ce monstrueux aveuglement et de cette inertie inouïe : selon un indice publié fort discrètement fin août 2016 – il est aisé de deviner pourquoi ! – par la très sérieuse Fondation Bertelsmann qui analyse les performances à partir de quelque 136 indicateurs quantitatifs et qualitatifs, la France était alors en matière de politique économique en 18e position de l'Organisation de coopération et de développement économiques et de l'Union européenne ! Elle reculait même au rythme d'une place par an. Une vraie dégringolade. En d'autres termes, elle était dans les choux, tandis que la Suède et la Suisse caracolaient en haut du podium pour l'excellence de leurs politiques économiques. L'explication de cette évolution paraissait – et reste – on ne peut plus claire. Selon les éminents spécialistes de la Fondation Bertelsmann, le territoire français était pénalisé par « ses difficultés à mener à bien des réformes » et souffrait « du fossé qui sépare les programmes électoraux et la possibilité – ou non – de les mettre en pratique ». Le FMI ne disait pas autre chose : pour dynamiser le marché du travail, il encourageait Emmanuel Macron « à ouvrir l'accès aux professions réglementées (5) ». Des préconisations qui rejoignaient les revendications qu'à son niveau, infiniment plus modeste, la Cedi (Confédération européenne des indépendants) d'André Vonner et de Robert Giordana n'a cessé de défendre durant plus de vingt-cinq ans, en alertant sur les dangers d'une politique de prélèvements sociaux qui pénalisait trop le travail et sur des aberrations lourdes de conséquences. *Vox clamantis in deserto.* Rien n'y fit.

Comme elle s'est gardée de procéder à des réformes essentielles (6) et que, par-delà les apparences de la modernité technicienne, elle a préféré se complaire dans des mentalités d'Ancien Régime (7) et des schémas structurels en retard de deux cents ans, remontant à Louis XVIII et à un territoire national presque entièrement rural (8). La France de l'incantatoire arrogance d'en haut et des « sous-France » d'en bas, ce bon réseau d'établissements scolaires et ce beau parc hospitalier et gériatrique, avec ses centres de dialyse qui vont d'extension en extension, n'est plus qu'un hub à touristes parmi d'autres, une zone hétérogène où le simili-droit a longtemps voisiné avec le non-droit, où le mérite ne prime pas ou peu et où la médiocrité prédomine... Elle a semblé – du moins jusqu'en 2017 – s'être condamnée au déclassement et à la déchéance. Elle a été humiliée de manière cinglante dans les domaines du marché du travail (9), du budget ou de la politique fiscale. Au point de ne plus être que la 9e puissance industrielle mondiale et de ne se situer, en montants, qu'au 30e rang international des investissements prévus dans les nouvelles usines [10]. Près de un sixième de sa population vit grâce à l'État-providence. Situation inouïe au regard de son potentiel [11], réputé immense…

Coup de balai

Juste avant le début de l'été 2017, ce fut cependant le grand débarras d'une partie notable des encombrants de la République. Une liste de politiciens dits « d'expérience » mais sans culture [12], ringards et affreusement parasites. Bons pour la pierre tombale. Sans abondance de crachats. Ces ex-simili-ministres, secrétaires d'État, députés ou sénateurs, qui n'étaient plus que les valets de chambre de certains lobbies bloquant tout processus d'évolution, n'en valent même pas le dérangement et encore moins la peine… Pour reprendre une réflexion de Jorge Luis Borges dans ses *Nouveaux contes de Bustos Domecq,* en ces heures alourdies par de gros nuages noirs, ces individus qui sont restés à l'écart de la jeunesse méritent de se retrouver au cimetière. D'autant qu'ils ont une fâcheuse tendance, comme l'a si bien relevé Jean Giraudoux dans *Siegfried,* à réserver leur véritable haine pour leurs compatriotes et que la réciproque est devenue vraie… Malheureusement, le coup de balai en forme de tsunami n'a été que relatif. Des Roger Karoutchi ou Stéphane Le Foll ne semblent toujours pas avoir compris qu'ils avaient soudain pris trente ans dans la vue, qu'ils ne sont plus audibles et que même s'ils essaient désespérément de s'accrocher à leur « gloriole » passée et à des slogans devenus désuets, tout leur échappe : les discours convenus, les postes, les strapontins, le pouvoir, leur vie… Il reste beaucoup à faire au Sénat, dans les régions, dans les agglos, ces intercommunalités en forme de gouffre financier [13], nouvel avatar du « millefeuille administratif français » [14] et d'une décentralisation où il n'est pas rare que des politiciens professionnels grassement payés et nullement dévoués au bien commun accordent des marchés publics à des oligopoles coûteux (15).

La zone F de l'Euroland multiplie et modernise ses déchetteries – l'un des secteurs d'activité les plus dynamiques dans bon nombre de départements français –, mais elle a toujours, on ne le soulignera jamais assez, l'une des plus belles collections d'encombrants au monde, qu'il s'agisse de sénateurs ou de membres de conseils et de chambres en tous genres...

Il faudrait peut-être que soit relu le *Manuel de savoir-vivre* de Pierre Desproges qui rappelle combien « il est important de vieillir bien, c'est-à-dire sans déranger les jeunes », ou bien alors, pour reprendre le titre d'un livre de Paul-Marie Coûteaux paru dans la discrétion en 1998, que soit écrit et publié, à l'intention de MM. Accoyer, Juppé, Larcher et Cie (16), un nouveau *Traité de savoir disparaître à l'usage d'une vieille génération,* vieille pas nécessairement, tant s'en faut, en raison de l'année de naissance à l'état civil, mais vieille parce qu'elle n'est plus de son temps... Dans son livre *Femme et chef d'entreprise,* Claude Bourg a cette remarque fort juste que certains feraient bien de méditer : « Pour rester de son temps, il faut savoir ne pas se laisser dépasser par la course éternelle de la jeunesse. » Combien de « jeunes » au sein de partis décatis comme LR, PS, UDI et tutti quanti ont l'air vieux et sont effectivement très *old age ?* Si un François Baroin ou un Laurent Wauquiez (17) venaient à assurer du contraire, qui pourrait les croire ?

Bien sûr, les esprits les plus grincheux ne manqueront pas de maugréer que la République édouard-philipparde s'était dotée non seulement d'un Premier ministre qui, par-delà la considération et la sympathie qu'étaient de nature à inspirer son apparence de sérieux alliée à un certain sens de l'humour, semblait avoir un charisme d'huître du Havre, mais encore d'un gouvernement qui, en dépit de l'action manifeste de plusieurs grands ministres, comme Jean-Michel Blanquer, Gérard Collomb et Jean-Yves Le Drian, ou de plusieurs « profils » régénérants, comme Bruno Le Maire, Mounir Mahjoubi et Brune Poirson, pouvait paraître quelque peu spécialisé dans l'enfilage des mesurettes, attaché à la préservation des privilèges de caste et des rentes de situation de quelques dizaines de milliers de *happy few,* champion de la distillation en conseil des ministres des banalités administratives d'usage (18) et du report sélectif... Vu de la rue de Bourgogne, durant les premiers mois d'exercice du pouvoir, un peu trop de ministres-escargots. À l'exemple de la garde des Sceaux Nicole Belloubet, sans doute nommée à ce poste pour ses talents supposés de technicienne, mais piètre politique, comme elle le démontra à plusieurs reprises (19).

À la décharge de l'équipe gouvernementale animée par Édouard Philippe, l'ampleur du chantier est, il convient de le reconnaître et de le souligner, colossale, tant sont nombreuses et inimaginables les plaies et pesanteurs françaises après une fin de premier mandat et un second mandat calamiteux d'immobilisme et de pourrissement de M. Mitterrand, gravement malade, l'arrivée au pouvoir trop tardive de M. Chirac, un homme usé qui fit un accident vasculaire cérébral, le mandat de M. Sarkozy très décevant au regard des promesses de ce bonimenteur, et le mandat particulièrement piteux de M. Hollande. En résumé, plus de trente ans d'incurie plus ou moins prononcée. Du coup, tout pouvait fort bien aller petit train-train, de port en port... Jean-Edern Hallier connaissait la chanson. En version Serge Lama. He bien ! De report en report, puis de volte-face en volte-face et de mesurette en mesurette, l'ensemble de la population (20) risquait fort de vite comprendre qu'avec ou sans chansonnette, les promesses électorales n'engagent – histoire connue mais insuffisamment... – que ceux et celles qui les écoutent. Comme si la France, ou du moins certains de ses dirigeants ne voulaient pas en finir avec le XXe siècle et faisaient tout pour s'y raccrocher. Une commémoration par-ci, un enterrement en grande pompe par-là étaient toujours bons à prendre pour revisiter les années 1970 ou 1980, les chères années Jean-Edern... De là la persistance d'une attente, et finalement d'une crise profonde, dont Antonio Gramsci a donné une célèbre définition : « La crise consiste justement dans le fait que le vieux monde se meurt, que le nouveau monde tarde à apparaître et que dans ce clair-obscur, cet interrègne, surgissent des monstres, s'observent des phénomènes morbides divers... (21) ».

Optant, comme elle l'a délibérément fait durant plus de trois décennies, pour le maintien voire l'aggravation du chômage de masse, une vieille classe politique française est responsable et coupable : elle est criminelle. Et très précisément criminelle de paix, car s'il s'existe des crimes de guerre, il existe aussi des crimes de paix, au moins aussi graves, voire pires... Cependant, l'élection d'Emmanuel Macron – un homme qui s'est déclaré convaincu que « l'espoir permet à la force des humbles de triompher de ceux qui font tout pour que l'ordre établi soit maintenu en l'état » – et l'indéniable renouvellement parlementaire qui s'est ensuivi ont représenté un sursaut salutaire. Au fil des trimestres, l'application d'un programme bien conçu, inspiré en grande partie du rapport de la Commission Attali, est apparue à la fois méthodique et implacable...

Les pouvoirs publics français vont-ils pour autant prendre la peine de se référer aux *Réflexions sur la Révolution de France,* d'Edmund Burke, le célèbre homme politique et philosophe irlandais, qui préviennent qu'un État qui ne se donne pas les moyens de changer se prive des moyens de se conserver ? Par-delà les apparences et les discours, vont-ils enfin effectuer tous les déverrouillages salvateurs qui s'imposent – pas seulement à la suite de la préconisation du FMI mais par simple bon sens – ou ne rien faire et persister dans le crime, avec les conséquences sinistres qui en découleront ? Certains engagements de campagne d'Emmanuel Macron, comme la diminution très significative du nombre de parlementaires, la limitation du cumul des mandats dans le temps et l'introduction d'une dose de proportionnelle voire d'un nouveau mode de scrutin, seront-ils tenus ? Si, d'ores et déjà, certains faits – application de la loi Macron, réformes du Code du travail, de la SNCF... – ont de quoi rendre optimiste, le verdict définitif devrait rapidement tomber.

---

(1) Les relations avec la société FlixBus et la municipalité parisienne ont été pour le moins difficiles. Les dirigeants de l'entreprise ont assuré avoir attendu un an avant d'obtenir l'autorisation d'installer une simple cahute mobile en tôle verte faisant office de guichet... (« Les usagers des "cars Macron" ne sont pas tous logés à la même enseigne », Éric Béziat, *Le Monde,* 19 août 2016). Jusqu'en juin 2017, des contrôles routiers ont également paru faire partie des brimades destinées à entraver la bonne marche des « cars Macron ».

(2) Ce qui se traduit notamment par des instrumentalisations de procureurs, par des intimidations et des opérations de déstabilisation. Un exemple : en octobre 2014, le préfet Yannick Blanc s'était publiquement indigné des manifestations des notaires et huissiers de justice contre le projet de loi Macron. Ce représentant de l'État dans le département du Vaucluse avait pris l'initiative de dénoncer, à mots feutrés, le scandale que constituaient sur le territoire français le mode de fonctionnement de certaines professions réglementées et la « malhonnêteté intellectuelle » des représentants du notariat dans le Vaucluse. En réplique, l'attitude des notaires d'Avignon avait consisté à indiquer à ce préfet que son nom et le contenu de son discours seraient transmis au CSN (Conseil supérieur du notariat). Une réaction qui ne manquait pas de faire songer aux usages de la Camorra napolitaine.

Autre exemple : selon les données dont dispose l'auteur de cet ouvrage, c'est le notariat français qui a fourni au *Canard enchaîné* les éléments de dossier concernant M. Richard Ferrand dans le cadre d'une affaire immobilière dite « des Mutuelles ». Cette opération de déstabilisation n'a cependant que partiellement réussi. Elle amena certes M. Ferrand à démissionner le 19 juin 2017 de son poste de ministre de la Cohésion des territoires. Mais elle ne parvint pas à empêcher le député breton d'être élu le 24 juin 2017 président du groupe parlementaire LREM à l'Assemblée nationale.

(3) « Le football est populaire parce que la stupidité est populaire », Jorge Luis Borges (1889-1986), *Œuvres complètes,* tome 1.

(4) Un tout petit exemple, à titre anecdotique, avec la rente annuelle réservée à la décoration de la Légion d'honneur attribuée à titre militaire qui s'élève de 6,10 euros à 36,59 euros (de chevalier à grand-croix)... Une rente symbolique dont les coûts de traitement (entre 650 000 et 800 000 euros) sont plus élevés que les montants effectivement distribués (720 000 euros). En juillet 2016, un parlementaire, Michel Canevet, a proposé – en vain – sa suppression et, en contrepartie, le versement des fonds à des sociétés d'entraide de médaillés militaires ou à l'Office national des anciens combattants...

(5) Agence France-Presse, 11 mai 2017.

(6) Nullement anecdotique, la réforme du notariat français plus de deux ans après la promulgation d'une loi, au contenu en grande partie dévoyé de surcroît, est emblématique de tout ce qui continue de scléroser la France : le corporatisme étriqué, le conservatisme préservé, la rente de situation confortée, le non-respect désinvolte et systématique des engagements pris au sein de l'Union européenne, et une absence de crédibilité ressentie par les autres partenaires européens qui n'ont plus besoin de traducteurs pour comprendre de mieux en mieux que la parole française est sans valeur. Au point que Français est devenu – du moins jusqu'en 2017 – synonyme de menteur et de tricheur...

Selon un communiqué officiel de l'Autorité de la concurrence daté du 23 novembre 2017, sur les 1 650 nouveaux notaires prévus, seuls 62 « notaires Macron » étaient nommés et installés. Chiffre d'autant plus pathétique que la plupart d'entre eux n'étaient pas de jeunes diplômés notaires mais des notaires déjà bien en place... C'est d'ailleurs si vrai qu'un notaire installé à Nice s'est vu nommer notaire titulaire d'un office créé à Paris (*Journal officiel* de la République française n° 0274 du 24 novembre 2017, arrêté de la garde des Sceaux du 15 novembre 2017 portant nomination d'un notaire) et qu'un autre notaire, installé à Étaples dans le Pas-de-Calais et lié au très vichyste Conseil supérieur du notariat, a été lui aussi nommé dans le Pas-de-Calais, à... Berck ! (*Journal officiel* du 3 novembre 2017, arrêté de la garde des Sceaux du 25 octobre 2017). Malgré tout, les « coups d'éperon » donnés par le chef de l'État en conseil des ministres et la vigilance de l'Autorité de la concurrence semblent avoir provoqué chez la garde des Sceaux un sursaut salvateur... Début 2018, la loi Macron commençait enfin à ne plus être virtuelle. Tant et si bien que « Linda », cette jeune diplômée notaire évoquée par le candidat Macron dans son mémorable discours de campagne, le 4 février 2017 à Lyon, allait peut-être finir par avoir l'avenir professionnel qui lui avait été publiquement promis et qui, en toute équité, devait lui revenir...

(7) Peu avant le premier tour de l'élection présidentielle de 2017, un membre du patronat français, M. Francis Holder, le président des entreprises boulangeries Paul et Ladurée, n'avait pas hésité à s'exprimer « au nom de ses 14 000 collaborateurs », « ses gens » en quelque sorte, pour apporter un soutien résolu au candidat Fillon...

(8) La géographie des départements a été déterminée afin que les habitants puissent se rendre au chef-lieu, à pied, à cheval ou en diligence, et en revenir dans les 24 heures... C'est ainsi qu'ont été créées plus de 36 000 communes. En 2017, dans le département de l'Oise, trois communes distantes de quelques kilomètres seulement disposaient chacune d'une salle des fêtes, d'un stade de tennis, d'un terrain de sport... Il en allait de même en Charente, à Cognac et à Chateaubernard, comme en beaucoup d'autres endroits.

(9) Sans parler de son discrédit planétaire dès qu'il est question de qualité de fabrication... Faisant preuve à juste titre de la plus grande défiance, le groupe japonais Aisin (détenu à 34 % par Toyota) s'est ainsi refusé publiquement à produire ses boîtes automatiques dans une usine française de PSA (Peugeot-Citroën) et n'a même pas accepté que son nom apparaisse sur la production sous licence de PSA ! (dépêche Agence Reuters diffusée au niveau mondial le 30 novembre 2017 à 12 h 43). Même l'arrivée du « bras droit » de Carlos Ghosn aux commandes du constructeur français et la présence significative du chinois Dongfeng dans l'actionnariat n'ont pas suffi à le rassurer !

(10) Selon une étude de Trendeo, publiée le 23 mars 2017. Les deux tiers des principaux projets lancés en 2016 par des entreprises françaises étaient localisés hors du territoire national.

(11) L'un des mots-clés de ce début de XXIe siècle. En tout et pour tout, du potentiel sinon rien... Résultat : certains pays de cités-oasis complètement perdues au fin fond de l'Asie centrale se surprennent, du moins à en croire tel ou tel « coup de projecteur » médiatique, à tirer parti d'un potentiel de développement touristique considérable, tandis que des sportifs en bout de course se découvrent soudain un remarquable potentiel musculaire, à moins qu'ils ne se shootent au potentiel ! *Urbi et orbi,*

on ne jure plus que par la capacité d'action ou de production. Et l'effet de mode risque d'être durable, car un tel synonyme d'espoir ne peut, à l'évidence, qu'avoir un énorme potentiel !

(12) Que ceux et celles qui jugeraient le propos trop lapidaire veuillent bien se souvenir qu'Evelyn Waugh (1903-1966) a eu, dans *Trois nouvelles,* cette phrase sans appel : « Il était un homme sans culture. Un politicien. »

(13) En France, dans une agglomération de moins de 70 000 habitants, les indemnités versées chaque mois à son président et à sa quinzaine de vice-présidents représentent une bonne cinquantaine de milliers d'euros et relèvent souvent d'une forme éhontée de gabegie et de misérable corruption politicienne.

(14) Comme se plaisait à le relever Jacques Bonhomme, cet ancien député qui présida de l'Aspic (Association pour la protection et l'information du contribuable), « La France des collectivités locales est une sorte de mille-feuille où le pouvoir s'exerce pour le plus grand profit des nouveaux féodaux qui se sont confortablement installés dans ces temps de l'inutilité coûteuse. »

(15) Le dossier d'attribution du Grand Stade de Lille au groupe Eiffage en 2008 n'est qu'un exemple parmi beaucoup d'autres. Le président de la Métropole européenne de Lille, Damien Castelain, et un ex-vice-président de la collectivité, Henri Ségard, ont été mis en examen en avril 2017 et placés sous contrôle judiciaire par le juge Jean-Michel Gentil. Des anciens dirigeants d'Eiffage ont également été mis en examen pour « trafic d'influence actif » et placés, eux aussi, sous contrôle judiciaire...

(16) M. Raffarin, parfaitement représentatif d'une vieille garde politicienne et d'une France sclérosée, aurait dû faire partie de cette petite série de noms, mais il a préféré se retirer, « serein » (sic), avec « la satisfaction du devoir accompli » (re-sic), aussitôt après les résultats des élections législatives de 2017. Quand on dresse un bilan de la France au début et à la fin de la carrière politique de M. Raffarin, à coup sûr l'un des Premiers ministres les plus incompétents de la Ve République, il est permis de se demander de quoi sa génération de politiciens peut bien être fière... Sinon de s'être grassement pourvue en argent public pour des résultats concrets au mieux insignifiants au pire désastreux. D'un point de vue tant économique et social qu'éducatif, sociétal, médical et sécuritaire, il n'y a que des motifs de désillusion. Mais outre la paternité de « raffarinades » comme « Notre route est droite, mais la pente est forte », « Tant que le navire n'a pas heurté l'iceberg, la croisière continue » ou « Les veuves vivent plus longtemps que leurs conjoints », il faut reconnaître à M. Raffarin une rouerie consommée pour avoir tiré constamment à côté de la cible pendant quarante ans... Souvent surnommé « grosnul » par ses

propres « amis » politiques, ce spécialiste de l'enfoncement des portes ouvertes fait partie de ces hommes qui n'ont pas à redouter qu'on leur casse les vitres sur la figure. Il a donné son nom à des expressions populaires : faire son Raffarin, c'est-à-dire être un adepte du cirage de pompes, être un bon à rien ; un Raffarin de Matignon, se dit d'un personnage aux récits illusoires et aux « galéjades » en forme de truismes.

(17) Un homme très détaché… du Conseil d'État et infiniment plus préoccupé de l'accumulation – d'une manière tout à fait légale bien sûr mais dans son cas particulièrement indécente – de ses points de retraite et de l'évolution de son ancienneté que du sort du territoire français et des nouvelles générations qui y vivent ou survivent…

(18) Évoquant les notes lues en conseil des ministres, Emmanuel Macron aurait, selon *Le Canard enchaîné* et *Le Figaro,* parlé de « pipi de chat »… L'expression utilisée fut officiellement démentie par l'Élysée, mais la vivacité de la réaction du chef de l'État, elle, le fut d'autant moins qu'elle s'était assortie d'un message en forme d'avertissement : « Si vous continuez comme ça, dans six mois, vous ne serez plus là… »

(19) Dès septembre 2017, cette agrégée de droit… se désagrégea quand elle toléra d'être conspuée – une première « historique » – durant un congrès national des notaires. En octobre 2017, elle affirma lancer de « grands chantiers » pour réformer la justice, mais ne trouva rien de mieux que de choisir comme « chefs de file » de ces projets, M. Philippe Houillon, ancien président LR de la commission des lois, champion notoire de l'ultra-conservatisme, et M. Dominique Raimbourg, vieil apparatchik du PS dont la seule mention mémorable de son curriculum vitae consiste, pour l'essentiel et depuis soixante-dix ans, à être fils de l'acteur Bourvil… Nul doute, à ce petit jeu, fort discret mais si révélateur, que les électeurs de la République en marche pourront mesurer combien le mépris dans lequel Mme Belloubet les tient est abyssal et pourquoi, par-delà les « bla bla news » des chaînes d'info en continu, les perspectives de réforme réelle et sérieuse des institutions judiciaires françaises sont, à défaut d'une intervention « musclée » de l'Élysée, frappées du sceau de l'extrême prudence et du moindre investissement, c'est-à-dire quasi nulles et non avenues.

Enfin, en janvier 2018, cette même ministre improbable parut suffisamment affligeante d'inertie lors du conflit des prisons pour qu'il n'y ait guère besoin de s'appesantir. D'autant qu'il y a pire avec le cas de M. Mézard, le surréaliste « boulet » vintage du gouvernement Édouard Philippe. Bien connu pour être infiniment plus soucieux de son chien que du « toilettage » des banlieues, cet ancien sénateur devenu ministre de la Cohésion des territoires vint en mairie de Châtellerault, dans le Poitou, le 27 mars 2018, pour y présenter en mode très néo-1950 son plan national

« Action cœur de ville » de revitalisation des centres-villes. Le jour même où le Trésor public, à moins de 30 mètres de là, procédait à la fermeture définitive de sa trésorerie de centre-ville ! Outre qu'il mit l'accent *urbi et orbi* sur l'image sinistrée de Châtellerault, M. Mézard démontra ainsi combien, vus de son ministère, les Châtelleraudais sont les derniers des con...tribuables !

(20) Le mot « population » est délibérément préféré à « peuple français ». Qui ne perçoit pas en effet que cette appellation obsolète relève de l'imposture et qu'existent en revanche le peuple corse, le peuple basque, le peuple lorrain, doté d'ailleurs d'une organisation juridique qui lui est propre, le peuple mahorais, le peuple guyanais ? Que toute personne qui en douterait prenne la peine de réécouter le discours tenu le 30 mars 2017 par la ministre d'alors, Éricka Bareigts : « Au bout de tant d'années d'histoire, c'est à moi que revient l'honneur de dire, au-delà de ma petite personne, au-delà des fonctions, toutes mes excuses au peuple guyanais... »

(21) En partie d'après la traduction française des *Cahiers de prison* parue aux Éditions Gallimard sous la responsabilité de Robert Paris : Cahier 3, al. 34, p. 283. En italien, une partie de la citation est : *« In questo interregno si verificano i fenomeni morbosi più svariati. »*

« Quand je suis au micro, ce n'est pas un "meeting",
Dans mes chansons, crénom, ni message ni consignes
J'veux pas refair'e votr'e monde, je veux rêver le mien
Et quand j'vous raconte mes révoltes, mes chagrins,
Ne vous croyez pas obligés d'adhérer :
Dans mon parti y a qu'moi et c'est déjà l'merdier !
Ni gauche ni centre ni droite
Je suis seul sur le "ring"
Avec ma gauche ma droite
Sans soigneur ni "doping"
Ni gauche ni centre ni droite
Je suis seul sur le "ring"
Avec mon corps qui boîte
La Mort qui me fait signe ! »

Henri Tachan, « Ni gauche, ni centre, ni droite » (1976)

Les racines du mal

« Le génie n'est qu'une grande lucidité,
qui paraît folie à ceux qui voient plus bas. »

Malcolm de Chazal (1902-1981), « Petrusmok »,
dans le journal *Le Mauricien,* 1er octobre 1960

Au sujet de la France et des Français, Jean-Edern Hallier, qui était tout sauf un narcisse borgne incapable de discerner les réalités, qu'elles se présentent de face ou de manière dissimulée, ne s'est jamais bercé d'illusions. Il a toujours su que la zone F de l'Euroland était un territoire où l'avenir meurt avant le passé, où tout est taxé, sauf l'air, devenu parfois irrespirable, et la connerie, toujours prospère, et où, hélas, au fil de jours sans nombre, de nombreux vieillards s'ennuient à ne pas mourir... Comme Françoise Sagan, il avait compris que la jeunesse est la seule génération raisonnable, mais il était conscient, lui, qu'elle n'est ni un sujet ni une priorité pour la classe politique française, devenue criminelle à force d'avoir perdu tout sens du bien public (1), de ne plus avoir que se servir comme obsession, et d'être, à son époque et jusqu'à l'an I du XXIe siècle, c'est-à-dire en 2017, souvent pourrie jusqu'à la moelle de l'os.

Comme l'économiste Gilbert Cette, il avait également conscience de l'impérieuse nécessité des réformes. Que ce soit pour rappeler l'État français à ses obligations régaliennes fondamentales, c'est-à-dire à assumer ses responsabilités et à se montrer présent à bon escient, en particulier là où son absence constitue une faute lourde – à l'exemple emblématique des greffes des tribunaux de commerce –, pour généraliser l'échevinage, le mélange des juges professionnels et bénévoles, dans les instances commerciales et aux prud'hommes, afin d'introduire un peu de professionnalisme dans ces juridictions, ou pour en finir avec les monopoles (2) ou quasi-monopoles abusifs et archaïques, et donc d'augmenter l'univers concurrentiel des professions protégées – notaires, huissiers (appellation frappée d'obsolescence au 1er janvier 2019), greffiers des tribunaux de commerce, avocats au Conseil d'État… – et cesser d'apparaître comme l'environnement le plus rétrograde – et le plus insultant ou méprisant (3) pour les jeunes – de tous les pays développés.

« Nous naissons vieux, disait l'abbé de Tourville, mais il faut tâcher de mourir jeunes (4). » Hallier, ce poète, était né vieux, très vieux… Et lui qui vivait d'outre-mort, et de mort même (5), n'a eu de cesse de prendre la mesure du cœur d'homme et de mourir jeune. Il pressentait que l'homme n'est pas fait pour vivre longtemps, que l'expérience le corrompt, que « l'arrogance de l'âge doit se soumettre à être enseignée par les jeunes », comme l'a écrit Edmund Burke (6), et que le monde n'a besoin que de jeunesse.

Il avait certes beaucoup sympathisé avec son moi. Et un moi qu'il voulait durable et qui devait se réaliser dans l'action… Il était très bergsonien en fait. Mais c'est donc à la jeunesse qu'il accordait une grande confiance. Du refrain de la chanson de Jacques Debronckart, il avait fait – et ferait sans aucun doute encore de nos jours – son credo. « Moi je vous dis qu'elle est formidable, la jeunesse d'aujourd'hui ! (7)… »

Combien de décennies d'attentats seront nécessaires pour que les tenants du « système » finissent par comprendre que les fameuses « valeurs » occidentales, dès lors qu'elles ont pu être incarnées par MM. Mercier, Urvoas, Fillon, Le Roux (8), Cahuzac, Juppé, Gaymard (9), Benguigui (10), Thévenoud (11), Arif (12) Méry (13), Balladur (14), semblent, aux yeux de nombreux jeunes soumis ou insoumis, grandement décrédibilisées et discréditées, que stigmatiser le Mohamed, le Mehdi ou la Yasmine est surréaliste quand les Mohamed, Mehdi ou Yasmine sont plus courants dans les écoles françaises que les Paul, Jacques ou Sophie, et que les discours les mieux médiatisés tombent à plat quand France rime au mieux avec inconsistance au pire avec défiance ?

Dynamiteur visionnaire

Jean-Edern Hallier a ceci de commun avec Alain Peyrefitte que l'un et l'autre n'ont pas eu besoin d'attendre l'arrivée au pouvoir d'Emmanuel Macron pour repérer, comprendre et dénoncer les racines du mal français... Mais le premier a sans doute été, infiniment plus que le second, le dynamiteur de la « droite gauche » et des clivages (15), le témoin engagé, voyant et prophète, qui voulait tout comprendre, tout embrasser, tout sublimer : un véritable visionnaire, l'un de ces éclaireurs qui aujourd'hui font tant défaut. S'il est vrai que « les yeux voient ce qu'ils sont habitués à voir », comme l'écrit Jorge Luis Borges dans *Enquêtes,* Hallier, ce borgne, cet aveugle, avait le chic pour faire voir ce que les yeux n'étaient pas accoutumés à voir... Bien sûr, il avait retenu la leçon de Pascal et rien ne lui était si insupportable que d'être en plein repos, sans passion, sans application. Il n'était pas du genre à sentir son néant, son abandon, son insuffisance, sa dépendance, son impuissance, son vide... L'attentisme, très peu pour lui. Bien sûr, il aimait la vodka et les jolies femmes. Sans trop de modération dans les deux cas. Comme disait George Bernard Shaw, « courir avec les femmes n'a jamais fait de mal à personne. C'est les rattraper qui est dangereux ! » Mais ce Chateaubriand de la République des lettres était un commentateur acide de la vie politique, aux trouvailles de pamphlétaire à la fois attendues et redoutées, et surtout à la liberté de ton aujourd'hui disparue. Depuis sa mort, la « pollution » politicienne s'est intensifiée, avec une longue liste d'anciens ministres ignominieux et de simili-parlementaires adeptes du « copier-coller ». Même si, officiellement, tout est, en mode sémantique cher à M. Hollande, l'ancien résident du palais de l'Élysée, « normal ».

Oui, Hallier savait, sans avoir nécessairement lu Malcolm de Chazal, que « tous ceux qui voyagent dans le monde, et singulièrement en Europe, remarquent ceci : deux catégories d'hommes s'affrontent : ceux qui ont les vieilles idées et ceux qui voient la vie sous un nouveau jour. Les premiers sont légion. Les seconds forment un tout petit noyau, mais qui chaque jour s'accroît. Les premiers n'entendent pas que les choses changent : ils trouvent, par exemple, que Copernic a dit le dernier mot au sujet de la Terre ; que rien ne doit être changé au sens de la famille ; que la théologie est l'unique manière de concevoir Dieu ; que l'atome existe, même si personne ne l'a vu ; que les terres du Cosmos sont inhabitées, seule la planète Terre ayant des habitants ; que la jalousie est la preuve même de l'amour ; et enfin que la civilisation est le dernier cri sur l'être humain. Les seconds, qui forment un tout petit noyau, remettent en jeu toutes les valeurs humaines et universelles. Et ces derniers surtout ne veulent pas de "systèmes (16)". »

Bien avant qu'Emmanuel Macron assure avoir comme objectif d'« agir face à tous les conservatismes (17) qui ont empêché la France de se réformer », Jean-Edern savait donc que les privilèges de quelques-uns ou des usages devenus obsolètes bloquent la société française tout entière, que les fractures qui divisent le pays ne font que s'élargir, que l'ultraconservatisme des politiciens constitue le drame national et que l'accumulation des règles ou des structures sur le territoire n'a souvent pour toute justification que le simple fait d'avoir toujours été là… Il n'ignorait pas non plus qu'en France, un président de la République est un peu comme un pape qui entend réformer la curie romaine (18) : il est de plus en plus soumis à des mains lobbyistes qui viennent s'appuyer sur ses épaules et l'obliger à s'asseoir dans un fauteuil dès qu'il fait mine de vouloir changer quoi que ce soit de fondamental et passer des paroles aux actes (19)… Déjà dans les années 1980, ce révolté intérieur permanent qui se dissimulait volontiers sous l'apparence d'un gentilhomme de vieille maison française avait conscience que certaines pratiques – en particulier le népotisme, cette « ultime régression » comme il l'appelait (20) – étaient répandues mais inacceptables, qu'un renouveau démocratique relevait d'une impérieuse nécessité, et que tout État digne de ce nom avait le devoir à la fois de libérer les initiatives et de protéger les personnes, y compris les plus faibles et les plus fragiles…

Il rêvait tout haut d'une jonction, *a priori* impossible, des Français « antisystème » de gauche et de droite, non sans se souvenir qu'« être de gauche ou être de droite, c'est choisir une des innombrables manières qui s'offrent à l'homme d'être un imbécile : toutes deux, en effet, sont des formes d'hémiplégie morale (21). » Il voulait une France libérée des carcans, des verrous et des *numerus clausus* (22) qui construisent la rareté au profit de quelques-uns, nuisent au plus grand nombre et finissent tôt ou tard, à force de promouvoir la médiocrité, favoriser les abus les plus criants et légitimer les haines, par engendrer explosions et désastres.

Cependant, il savait aussi que les Français avaient en partage leur langue, le premier trésor commun, à la fois leur socle et leur phare : ce qui les a faits et ce qui les distingue, nourri aussi par la vitalité de plusieurs belles langues régionales. Il désirait ardemment – ce fut sa volonté constante tout au long de sa vie de fils et petit-fils de généraux – redonner à la France son éclat et renouer avec un patriotisme dès lors qu'il serait redevenu légitime.

Il est possible sinon probable que Jean-Edern, conscient que le contexte français tel qu'il le connaissait était voué à disparaître puisque ceux et celles qui le connaissaient disparaîtraient inéluctablement, eût apporté son soutien généreux au candidat Emmanuel Macron lors de l'élection présidentielle de mai 2017, tout en se réservant le droit de rester critique selon les circonstances. « On ne peut à la fois demander le soutien d'un homme libre et qu'il ne soit plus libre de le rester », prévient-il dans *Le Refus ou la Leçon des ténèbres.* À coup sûr, il se serait tenu à l'écart du candidat Fillon où, mis à part ses costumes (23), les clients de sa société 2F Conseil et son entremise dans un deal pétrolier libano-russe, tout ou presque était fictif, des emplois au gaullisme en passant par la dignité, les valeurs chrétiennes et la stature de chef d'État. Comment aurait-il pu ignorer – puisque c'était déjà le cas de son vivant – que la France a – c'est son drame – la droite très gauche, la droite la plus bête du monde ? Non seulement la plus bête, mais encore et surtout, à force d'être le plus souvent représentée par des individus à l'ego démesuré, la plus médiocre et la plus lâche ! Et la plus cupide, et la plus arrogante ! Incorrigible, incompétente et fatigante. Tellement habituée aux prébendes diverses, prompte à faire passer toute éventuelle dénonciation pour une cabale et toujours prête à serrer les rangs pour que rien ne change : surrémunérations, rémunérations non imposables, avantages en nature, pensions de retraite calculées de façon scandaleuse, possibilités de pratiques douteuses (24), arrangements entre amis [25] et trafics en tous genres, cumul des mandats... Indécrottable et insurclassable ! Tous ceux et celles qui comptaient sur Donald Trump pour la détrôner n'ont pu que déchanter... Ce qui reste un motif d'étonnement peut-être, c'est ce constat, hélas, indéniable – le dossier des époux Fillon [26] a au moins eu pour vertu de pouvoir le vérifier – que jusqu'en 2017, un député ou sénateur français pouvait parfaitement, en toute « légalité », employer qui bon lui semblait, au salaire qu'il voulait, se faire facturer des prestations par des membres de sa famille, en l'absence de tout contrat de travail durant des années, sans faire l'objet, sur une période longue de trois ou quatre décennies, d'aucun contrôle de l'Urssaf ni du fisc. Dans l'univers des petites et moyennes entreprises françaises, ce genre de méthodes n'aurait pas manqué de vite provoquer des poursuites devant les tribunaux pour abus de biens sociaux et des redressements fiscaux plus ou moins carabinés !

Nul ne peut savoir si Jean-Edern aurait lu le livre d'Emmanuel Macron intitulé *Révolution,* mais il ne paraît pas du tout exclu qu'il ait pu être séduit par la démarche et le programme de cet homme politique qui n'est pas néolibéral mais qui, face à des corporations et des quasi-monopoles qui se sont reconstitués, font preuve d'un extrémisme inimaginable et ne cherchent qu'à évincer les jeunes, affiche un étatisme modéré et un libéralisme éclairé. Mis à part les profiteurs de rentes de situation, qui, à dire vrai, pourrait être hostile à l'éclatement de corporatismes abusifs dont la France a le triste secret, à la mise en œuvre d'une concurrence saine et loyale, tant au niveau national qu'européen, à la mise en conformité du droit français avec le droit de l'Union européenne (qui proclame une liberté d'établissement dépourvue de toute portée pratique en 2018 sur le territoire français), à l'application du principe fondamental « à diplôme égal, égalité des chances économiques », à la reprise en main par l'État de la Convention chômage devenue universelle et s'appliquant donc aux artisans, autoentrepreneurs et autres « ubérisés » ? Qui pourrait se satisfaire d'une situation (27) qui rendrait de plus en plus difficile voire impossible la réconciliation des Français entre eux que le candidat Emmanuel Macron appelait de ses vœux ?

« Millefeuille » de Gallimarket

Au moins, Jean-Edern n'aura pas dû être le témoin direct de certains faits crépusculaires d'un XXe siècle jouant les prolongations… Il n'aura pas vu comment le tribunal de commerce de Paris a rendu le 6 juin 2017 une décision très favorable à M. Tapie, en lui permettant de retarder le remboursement de la somme de plus de 400 millions d'euros qu'il doit à l'État français à la suite d'une « négligence » de Mme Christine Lagarde (28). Ce tribunal a laissé M. Tapie écarter les experts judiciaires désignés pour choisir lui-même un expert privé… L'avocate et eurodéputée EELV (Europe Écologie – Les Verts) Eva Joly a eu toutefois le mérite – nul doute que Jean-Edern aurait apprécié – de s'en émouvoir, de rappeler *urbi et orbi* que M. Tapie, cet individu dont seule la morgue pourra venir à bout de l'arrogance et de l'ignominie, « a passé sa vie à vider les entreprises qu'il avait reprises : Testu, Terraillon, La Vie Claire… » et de se réjouir que « le parquet de Paris ait fait appel, donnant ainsi à la cour d'appel l'occasion de remettre les pendules à l'heure », tout en soulignant que « cela n'est pas suffisant » et que « dans le cadre de la moralisation de la vie publique, il est aussi temps de s'intéresser aux graves dysfonctionnements du tribunal de commerce de Paris (29) ».

De même, Jean-Edern n'aura entendu que de loin – et c'est fort bien ainsi – Mme Pingeot s'entretenir avec le valet de chambre Jeanneney (30), producteur-animateur de l'émission

« Concordance des temps » (la bien-nommée) sur France Culture, évoquant avec des trémolos dans la voix l'initiative « sublime » (sic) de la parution de deux « millefeuille » de « Francisque Mitterrand », pour reprendre le surnom donné par Hallier puisque M. Mitterrand fut en 1943 le récipiendaire n° 2202 de la Francisque, marque spéciale d'estime du maréchal Pétain sous le régime de Vichy, qu'il fallait demander et dont l'attribution impliquait des parrainages. Ont donc été publiés chez Gallimarket un journal et des lettres d'amour à sa maîtresse, entretenue durant de nombreuses années avec les deniers publics (31)...

Mieux vaut également que Jean-Edern n'ait pas eu à constater qu'en janvier 2017, un jury présidé par Laurent Joffrin et composé de Patrick Poivre d'Arvor, Christophe Barbier, Franz-Olivier Giesbert, Jean-Marie Rouart, Philippe Labro et Philippe Tesson, a décerné le prix Jean-Luc Lagardère du journaliste de l'année 2016 (32), censé récompenser l'excellence journalistique... à un rédacteur en chef du *Figaro,* connu des initiés pour avoir effectué en novembre 2015 un reportage au marathon de New York fort élogieux au sujet des baskets de la marque japonaise Asics... et pour s'être bien gardé de préciser – ce que *Le Canard enchaîné* mit son point d'honneur à relever (33) –, que Asics lui avait offert et le voyage aux États-Unis et le séjour en bel hôtel ! Simple peccadille bien sûr que cette histoire d'espadrille, mais si exemplaire d'un système médiatique frelaté et à bout de souffle !

(1) Se voyant avant tout comme une « classe », elle ne s'est trop souvent préoccupée de l'intérêt national qu'en période électorale. Encore se contentait-elle en général de faire semblant...

(2) C'est Jean-Edern Hallier et personne d'autre qui, le 13 mai 1977, hébergea Radio Verte, la première radio libre FM française. Il lui permit

ainsi d'émettre en région parisienne et de défier des monopoles alors absolus. Un événement dont la portée s'est révélée historique et auquel participèrent Brice Lalonde et Antoine Lefébure, le créateur de l'Association pour la libération des ondes.

(3) En témoigne de manière éclatante le recours au tirage au sort. Un système entériné par des ministres du gouvernement Valls, Mme Najat Vallaud-Belkacem, largement battue aux élections législatives de 2017, et M. Urvoas, cet apparatchik du PS nettement battu aux élections législatives de 2017, qui fut sans doute l'un des plus médiocres et invraisemblables gardes des Sceaux de l'histoire de la Ve République. Occupé à des futilités (remise de décoration à un président d'organisme créé par le régime de Vichy, lecture poussive de discours poussiéreux devant des assemblées ultra-malthusianistes et consanguines…) et « room service » du Conseil supérieur du notariat, ce cancre diplômé, devenu maître de conférences à quarante ans et surnommé « Minus Urvoas », fut cosignataire avec M. Valls, le 9 novembre 2016, d'un « décret scélérat » – pour reprendre l'expression de la députée PS Cécile Untermaier –, contre l'esprit de la loi Macron et contre la jeunesse. Après s'être longtemps dispensé d'enseignement, il n'en a pas moins osé se présenter devant de jeunes étudiants lors la rentrée universitaire 2017, pour leur prodiguer des cours… Mais cela se passait à Quimper, en Bretagne Edernelle ! Selon une information diffusée par France Info au moment de l'achèvement de cet ouvrage, il était cependant visé fin novembre 2017 par une plainte de Cicero 29, une association finistérienne anticorruption, pour « détournement de biens publics ». Pour celui qui incarnait quelques mois auparavant les institutions judiciaires françaises et présida de 2012 à 2016 la Commission des lois de l'Assemblée nationale, une telle plainte, semble-t-il très étayée, devrait, quelle que soit la suite qui lui sera apportée, sonner le glas de sa carrière politique et, espérons-le, universitaire. Précision : objet d'une autre plainte pénale (déposée par Jérôme Abbassene, un courageux « lanceur d'alerte » devant les turpitudes népotiques de la « République des copains » et jeune candidat aux élections municipales à Quimper), c'est ce même individu véreux qui n'hésitait pas à annoncer en septembre 2017, à l'antenne de France Bleu, qu'il allait, « avec un regard critique » (sic), donner « des cours de science politique et de droit » (re-sic), non seulement au pôle universitaire de Quimper, mais aussi « à l'université de Bretagne-Occidentale à Brest, à Paris-Dauphine et à Sciences-Po » ! Pour couronner le tout, les Français apprirent dans un article du *Canard enchaîné* mi-décembre 2017 que cet ancien ministre de la Justice, « une immondice dont aucun derrière ne voulait » comme aurait dit Francis Blanche, avait violé le secret judiciaire en transmettant une note secrète à un élu sur une enquête pénale le concernant…

En cette même année 2017, l'obtention du baccalauréat a officiellement valu à 87 000 jeunes hommes et femmes de se retrouver sans orientation pour la rentrée de septembre... Une situation tout à fait indigne d'un pays dit « développé », due à l'absence honteuse d'anticipation durant quinze ans de la classe politique française face à des évolutions démographiques parfaitement prévisibles et connues et au mépris foncier de nombreux politiciens français, membres du PS (Parti socialiste) comme de LR (Les Républicains), à l'égard de la jeunesse (leur propre descendance ou descendance de leur clan mise, bien sûr, à part). De même que le porte-parole du gouvernement Christophe Castaner a dénoncé un « système totalement idiot ». Frédérique Vidal, ministre de l'Enseignement supérieur depuis mai 2017 qui n'est donc en aucune façon responsable de ce scandale, n'a pu que qualifier la plateforme admission post-bac française d'« énorme gâchis » et annoncer la suppression du tirage au sort en 2018 et, entre autres mesures, le dédoublement en urgence des amphithéâtres dans les universités grâce à un déblocage de moyens supplémentaires...

De même, l'obtention, après huit ans d'études, du diplôme complété par la validation d'années de stages professionnels n'a donné à des milliers de diplômés notaires que le droit de participer en 2016 à une loterie ! Qui osera s'étonner après tout cela que, sur les réseaux sociaux comme dans les bistrots, la France soit souvent désignée comme « pays de merde » et que le drapeau tricolore, à force de n'inspirer rien qui vaille et d'être sali durant des décennies par des politiciens infâmes, menteurs, voleurs et tricheurs, ne soit plus sortable via une circulaire ministérielle qu'au fronton des édifices publics ou à l'occasion d'une victoire lors de la Coupe du monde de football ?

(4) Ainsi que le rapporte Jean Guitton dans son *Journal,* en faisant allusion sans doute à Henri de Tourville (1842-1903).

(5) « Et ceci reste à dire : nous vivrons d'outre-mort, et de mort même vivrons-nous », Saint-John Perse (Alexis Léger, dit, 1887-1975), *Chronique,* II.

(6) *Letter to Frances Burney,* 29 juillet 1782.

(7) Chanson intitulée « La jeunesse d'aujourd'hui » de Jacques Debronckart (1934-1983).

(8) Nom de ce politicien français étiqueté PS qui employait ses filles, alors qu'elles étaient lycéennes puis étudiantes en cumulant respectivement 14 et 10 CDD entre 2009 et 2016, pour un montant total de quelque 55 000 euros. Elles n'avaient, lors des premiers contrats, que quinze-seize ans... Ces CDD ont pu avoir lieu en même temps que des stages en entreprise ou sur le temps universitaire, à l'été 2013 pour l'une des filles, vingt jours en mai 2015 pour l'autre...

(9) Nom de l'énarque formaté BCBG, actuel président du Conseil départemental de la Savoie et ancien député « godillot » de l'Assemblée nationale

française, devenu, à la suite d'un « casting », l'un des nombreux ministres de l'Économie intérimaires d'un gouvernement Raffarin. Il resta quelques semaines dans les mémoires pour s'être doublement fait remarquer par sa volonté fort proclamée de « désintoxiquer » la France de la dépense publique et par son emménagement discret, à la charge des contribuables, dans un duplex de 600 mètres carrés, situé près de l'avenue Montaigne à Paris et destiné à abriter sa famille de huit enfants et ses cinq domestiques. Bien qu'approuvée par Matignon et parfaitement légale, cette opération se solda au bout du compte, après avoir été révélée en février 2005 par *Le Canard enchaîné,* par la démission de l'intéressé et donc par la perte de son portefeuille ministériel. Elle fut symptomatique de la dégénérescence du régime politique français.

(10) Yamina Benguigui, ancienne ministre déléguée à la Francophonie, condamnée en 2016 à un an d'inéligibilité, deux mois de prison avec sursis et 5 000 euros d'amende pour omission dans sa déclaration de patrimoine.

(11) Thomas Thévenoud, ancien secrétaire d'État chargé du Commerce extérieur, du Développement du tourisme et des Français de l'étranger, qui, après avoir accédé à une grande notoriété en se déclarant souffrir de « phobie administrative », a été condamné en 2018 à un an de prison avec sursis et à trois ans d'inéligibilité pour fraude fiscale.

(12) Kader Arif, ancien ministre délégué puis secrétaire d'État aux Anciens combattants, qui démissionna de ses fonctions en novembre 2014 en raison de l'ouverture d'une enquête judiciaire sur des marchés publics attribués à plusieurs de ses proches (mis en examen en 2017, après information judiciaire ouverte en décembre 2015 par le Parquet national financier).

(13) Promoteur et membre du comité central du RPR (Rassemblement pour la République), Jean-Claude Méry (1942-1999) joua un rôle clé dans l'affaire des HLM de Paris et la collecte de fonds pour le financement illégal du RPR. Il mourut d'un cancer, laissant une confession enregistrée sur cassette vidéo (appelée par la suite la « cassette Méry »). Il donna également son nom à une marque de valise qui se fit connaître du public le plus large en 2000. Distribué sous le label « Méry de Paris », l'un des modèles pouvait, semble-t-il, contenir 1 million d'euros...

(14) Dans le cadre de l'exécution du contrat de vente des sous-marins Agosta, des commissions ont été versées par la France au réseau d'intermédiaires baptisé « réseau K » (dirigé par M. Ben Moussalem, proche des milieux djihadistes), dont le seul but était, selon des sources concordantes, de percevoir des rétrocommissions afin de financer la campagne présidentielle de M. Édouard Balladur en 1995. Il semblerait que l'arrêt du versement de ces commissions, décidé par M. Chirac, devenu président

de la République, ait été la cause de l'attentat de Karachi au Pakistan le 8 mai 2002 (14 morts dont 11 Français, et 12 blessés).

(15) Pour en prendre la mesure, il suffit de se souvenir qu'Hallier n'hésita pas à faire financer par des communistes son journal *L'Idiot international* qui publiait des plumes considérées comme d'extrême droite…

(16) « L'Avenir du monde », Malcolm de Chazal, *Le Mauricien,* 18 février 1960.

(17) Les professions juridiques réglementées en font partie.

(18) Par allusion au pape François citant Xavier de Mérode, un prélat belge du XIXe siècle au service de Pie IX, et disant le 21 décembre 2017 aux plus hauts prélats de l'Église assis devant lui : « Faire des réformes à Rome, c'est comme nettoyer le Sphinx d'Égypte avec une brosse à dents. » (« Le vœu pieux de la réforme du Vatican », Cécile Chambraud, *Le Monde,* 26 décembre 2017).

(19) Emmanuel Macron, surnommé « le Président des riches » et plus exactement trop volontiers perçu comme le Président des ultra-riches et des groupes de pression les mieux ancrés ou les plus *old age,* fera-t-il exception à la règle ? Peut-être, dès lors qu'il paraît, comme tous les grands hommes, inspiré. Mais sa réussite risque de se payer au prix de son parcours politique voire de sa vie.

(20) *L'Honneur perdu de François Mitterrand.*
Atteint d'une pathologie cancéreuse sans doute depuis 1979, l'ancien locataire de l'Élysée, que le pouvoir avait rendu ivre puis dément, mit l'appareil d'État au service de sa vie privée. Entre mai 1982 et mai 1995, il se livra avec Hallier à une lutte sans merci. Il est aujourd'hui établi que ce détenteur de la francisque, né à Jarnac – d'emblée, tout un parcours prédestiné – et très lié avec René Bousquet et d'autres sombres personnages (dont l'homme d'affaires Roger-Patrice Pelat), a grandement et durablement sali la gauche française, du moins ce qu'il en reste. Par-delà les affaires du faux attentat rue de l'Observatoire à Paris, des écoutes de l'Élysée, du Rainbow Warrior, du financement du PS par des pratiques frauduleuses (Urba, Gracco…) et de protection de « profils » crapuleux (entre autres, de l'huissier truand, Antoine Donsimoni, qui fut candidat socialiste, parrainé par lui, et dont il veilla manifestement à la « couverture » durant ses deux mandats à l'Élysée), les révélations au sujet de ses responsabilités dans la répression en Algérie et dans le génocide rwandais – crime contre l'humanité, et donc imprescriptible – sont venues jeter une lumière particulièrement crue et lugubre sur l'individu dont le nom – parfois encore accolé en 2017 à un site d'une Bibliothèque nationale – ne peut que faire tache. « Dans ces pays-là (…), ce n'est pas trop important », c'est dans ces termes choisis rapportés par Patrick de Saint-Exupéry dans *Le Figaro* du 12 janvier 1998 qu'il qualifiait les atrocités

perpétrées par des Africains contre d'autres Africains, les Hutu contre les Tutsi, avec l'aide, le soutien et l'expertise français avant, pendant et après le génocide.

(21) *La Révolte des masses,* José Ortega y Gasset.

(22) Le président de la République française élu en 2017 a affiché haut et fort devant les sénateurs, lors d'une première « conférence nationale des territoires », en juillet 2017, sa ferme détermination « de rouvrir les *numerus clausus* qui ont construit la rareté et fortement accentué l'hétérogénéité sur le territoire français ». D'autant qu'il paraît avoir conscience de l'amplification du phénomène de « contournement des *numerus clausus* » déjà constaté dans les filières médicales et paramédicales. La Belgique, l'Espagne, la Roumanie, le Portugal ou encore la Bulgarie sont perçues comme les seules « planches de salut » par les très nombreux étudiants français face aux « verrous » mis en place par les dirigeants français. Le nouveau chef d'État semble également vouloir s'attaquer – entreprise courageuse et titanesque compte tenu des oppositions farouches qu'elle est de nature à susciter et du système féodal généré par les lois de décentralisation – à l'un des aspects cruciaux du problème français, le népotisme territorial (les arrangements entre amis dans les collectivités...) et réduire ainsi au passage les sources de corruption.

(23) Allusion bien sûr aux somptueux costumes et montres de luxe offerts à M. Fillon. Comme le chantait si bien Jacques Brel, « Chez ces gens-là, on ne vit pas Monsieur... on compte. » Sur le territoire français de surcroît, entre les vrais costumes de M. Fillon ou ceux fictifs de M. Dominique Strauss-Kahn, les montres de M. Julien Dray, les chaussures sur mesure griffées Berluti de M. Roland Dumas et les mocassins bien cirés de M. Aquilino Morelle, on a pu durant plusieurs décennies s'offrir le luxe de beaucoup parler chiffons...

(24) L'appropriation des locaux d'une permanence politique en a longtemps fait partie. En particulier dans le sud de la France.

(25) Parmi les classiques arrangements entre amis figurent les échanges de bons procédés qui consistent à faciliter l'octroi d'une investiture, aux élections régionales, ou mieux, européennes, contre l'attribution à un proche d'un emploi ou d'une mission confortablement rétribué(e) avec l'argent du contribuable.

(26) Cf. le « Penelope Gate ». Impossible d'avoir déjà oublié... « Car enfin Pénélope, comme il se disait dans les années 1950, à la chaude époque de Saint-Germain-des-Prés, c'est tellement extraordinaire qu'on en parle encore ! » (*L'École des notables ou Feu Saint-Germain-des-Prés,* Marcel G. Faget – voir Bibliographie).

(27) Les situations grotesques où ont conduit la construction forcenée de la rareté sur le territoire français et l'aberrante protection des « rentes de

situation » sont, hélas, de plus en plus monnaie courante… En particulier dans le domaine médical. Un exemple. Estelle Delamare, une très jeune et brillante élève de terminale au lycée international de Ferney-Voltaire, a été reçue en 2016 au baccalauréat français major de l'académie de Lyon avec une moyenne de 20,84 grâce aux matières optionnelles. Interrogée par la chaîne i-Télé le 6 juillet 2016 sur ses intentions à la rentrée de septembre, qu'a-t-elle répondu ? « Je vais m'inscrire en médecine… à Genève. » Nul ne saurait lui faire grief d'adopter une attitude lucide et de ne pas prendre le risque d'être victime d'un système français de *numerus clausus,* mais quelle honte et quelle misère pour la zone F de l'Euroland ! Autre exemple. À Saint-Gervais-les-Trois-Clochers, dans le nord de la Vienne, il a été fait appel en 2017, pour lutter contre le risque de désertification médicale, à un cabinet de recrutement à l'échelle européenne ! Officiellement, il serait impossible d'inciter de jeunes praticiens à s'installer, en dépit de locaux mis à disposition à un loyer dérisoire (environ 500 euros par mois), d'une école, d'un collège et de nombreux services… Mais le comble, c'est quand le président local de la Maison de santé, un dentiste, après avoir confié qu'« il est à bout », apporte cette lumineuse précision : « il n'y a pas pléthore de médecins qui sortent de la faculté de médecine de Poitiers » (*Centre-Presse,* 5 avril 2017)… De fait, le nombre d'internes en fin de cursus (avec DES) y a diminué de moitié entre 2014-2015 et 2015-2016 ! Toujours dans le département de la Vienne, alors qu'en 2015 cinq médecins exerçaient à L'Isle-Jourdain, ils ne sont plus que deux en 2017 (*Centre-Presse,* 31 août 2017)… dont l'un a 77 ans et poursuit son activité à temps partiel pour soulager son associée qui croule sous la patientèle ! À l'initiative de la communauté de communes qui a fait appel à un cabinet spécialisé, un médecin roumain a été recruté en août 2017 et a pu s'installer en faisant la une du quotidien régional (« L'Isle-Jourdain a son médecin roumain : "Buna ziua" docteur », Sébastien Kerouanton et Sylvaine Hausseguy, *Centre-Presse,* 22 novembre 2017)… Tandis que des dizaines de milliers de jeunes français se sont vu depuis des lustres interdire l'accès aux études médicales par application d'un *numerus clausus* forcené et que le chômage et l'exil des jeunes français ne cessent d'atteindre des niveaux record, sans qu'aucun dirigeant politique français n'ait la décence de rendre des comptes devant une juridiction pour « crime de paix » ! Depuis plus de trois décennies, la politique « de droite » comme « de gauche » a relevé d'un grave déni de réalité, renforcé par la conviction justifiée que la « noblesse » politique ferait toujours l'objet d'un traitement « à part », dans des hôpitaux très choisis. Elle s'est également appuyée sur le postulat que « moins de médecins formés » signifiait « moins de dépenses de santé ». Quitte à ce que les praticiens installés profitent d'une « rente de situation » et que le *vulgum pecus* finisse par être victime d'un désastre sanitaire.

(28) Dans l'affaire de l'arbitrage de M. Tapie relevant d'une escroquerie en bande organisée au sein de l'État français, l'ancienne ministre de

l'Économie a été condamnée pour négligence en décembre 2016 par la Cour de justice de la République, mais dispensée de peine et sans mention au casier judiciaire...

(29) Mme Joly a ainsi appelé à « une enquête sérieuse » qui « seule permettra de faire toute la lumière et de déterminer ce qui se passe véritablement au tribunal de commerce de Paris. » (« L'affaire Tapie révèle les défaillances du tribunal de commerce de Paris », *Le Monde,* 23 juin 2017.)

(30) Après avoir été nommé par M. Mitterrand, M. Jeanneney est également administrateur de l'Institut F. Mitterrand créé à l'initiative de M. Mitterrand, aux côtés du clan de la mitterrandie où figurent notamment M. Hubert Védrine (depuis 2003), M. Michel Charasse, M. Pierre Chassigneux, Mme Dominique Bertinotti, M. Henri Nallet, Mme Laurence Lissac, M. Gilbert Mitterrand, M. Jean Musitelli et Mme Mazarine Pingeot. Il a aussi été président de la Mission de commémoration du bicentenaire de la Révolution française et de la Déclaration des droits de l'homme et du citoyen, de 1988 à 1990, deux fois secrétaire d'État au cours du second septennat de M. Mitterrand, et membre du conseil régional de Franche-Comté.

(31) Ce fut longtemps le plus secret des secrets d'État et, afin de le préserver, des moyens très importants furent mis en œuvre, à la demande de M. Mitterrand, généralement en toute illégalité et avec l'argent des contribuables. Pendant douze ans, Mme Pingeot et sa fille Mazarine ont logé dans un appartement de 250 mètres carrés (juste au-dessous de l'appartement de fonction de M. François de Grossouvre), situé quai Branly dans le 7e arrondissement de Paris et affecté à la présidence de la République, puis dans le château de Souzy-la-Briche, résidence de la République française, officiellement mise à disposition du Premier ministre. Au moins huit gendarmes, responsables de la sécurité à l'Élysée, étaient réquisitionnés jour et nuit pour protéger les deux femmes...

(32) Une activité que désormais tout un chacun exerce ou croit exercer, après avoir été souvent perçue, non sans raison parfois, comme une profession truffée d'arrivistes putassiers et d'aigrefins culottés, un passe-temps pour zigottos pique-assiette ou une couverture sociale pour cavaleurs et autres gigolos. Hallier se désolait de la médiocrité de la gent journalistique de son époque. Mais que penserait-il de nos jours quand l'agent d'artistes renommés se voit demander par un « journaliste » une interview avec Eugène Labiche ou est amené à constater qu'un autre « journaliste », appointé par un magazine référencé de longue date, ne connaît ni Danièle Évenou ni Jacques Martin, ce qui peut se concevoir, ni même Jacques Brel... ce qui paraît difficilement tolérable.

(33) *Le Canard enchaîné,* 22 mars 2017.

« Les hommes politiques poussent sur le fumier humain. »

Francis Picabia, *Écrits*

« Ceux qui rêvent la nuit dans les recoins poussiéreux de leur esprit s'éveillent au jour pour découvrir que ce n'était que vanité ; mais les rêveurs diurnes sont des hommes dangereux, ils peuvent jouer leur rêve les yeux ouverts, pour le rendre possible. »

Thomas Edward Lawrence, *Les Sept piliers de la sagesse*

Coup d'éclat permanent

« Ce qui vient au monde pour ne rien troubler ne mérite ni égards ni patience. »

René Char (1907-1988), *Fureur et mystère*

« Que sont devenus les gouvernements? demandais-je.
– La tradition veut qu'ils soient tombés petit à petit en désuétude. Ils procédaient à des élections, ils déclaraient des guerres, ils établissaient des impôts, ils confisquaient des fortunes, ils ordonnaient des arrestations et prétendaient imposer la censure mais personne au monde ne s'en souciait. La presse cessa de publier leurs discours et leurs photographies. Les hommes politiques durent se mettre à exercer des métiers honnêtes. »

Jorge Luis Borges, *Le Livre de sable*

« L'infortune de mon caractère, disait Jean-Edern, c'est qu'il a plus pâti de ses qualités que de ses défauts (1). » Nonobstant, il a toujours, de son propre aveu, persisté. Tout au long de sa vie, il a été un trublion flamboyant, un polémiste iconoclaste et volontiers hurluberlu, un don Quichotte français, réactif et ô combien passionné… Au point d'incarner une forme d'aristocratie suprême de la provocation. Il se savait avoir été élevé pour être « un grand du monde ancien et un inadapté du monde nouveau ». Il aurait été, confiait-il, « merveilleusement bien dans l'Angleterre victorienne, ou dans la France du XVIIIe siècle, et surtout du XVIIe siècle », son siècle à lui puisqu'il se considérait parfois comme « un frère ou un petit neveu douloureux de Pascal ». En esthète, il a choisi sans doute les plus belles et les plus exaltantes des servitudes, celles de la littérature et de la liberté. Comme l'annonce la couverture de *L'Évangile du fou,* il s'est condamné à devenir un « général de l'armée des Rêves », un essayiste romancier. Souvent dans la solitude et au risque d'une longue traversée du désert, il a mis son esprit au service d'une lutte âpre et sans concession contre le pouvoir et le système de tartufferie politico-médiatique des années 1970-1980-1990. Avec une langue admirable et un courage qui ne l'était pas moins, ce chantre à la fois lyrique, burlesque, tragique et comique, a amusé, ému, entraîné, séduit, convaincu… Dans la vie au quotidien, son comportement pouvait avoir de quoi surprendre, en particulier tout passager d'une automobile qu'il conduisait. Durant le septennat de Valéry Giscard d'Estaing, une époque si lointaine à plus d'un égard, s'il lui arrivait d'être au volant d'un modeste véhicule, il y avait de bonnes chances que l'engin soit décapotable, que tout en ne voyant que d'un œil, il ne donne que vaguement l'impression d'avoir permis et assurance, et que la ceinture paraisse relever d'une chasteté de mauvais aloi. Il avait aussi, semble-t-il, l'oubli facile pour le passage des vitesses. Lancé à fond de train dans une conversation échevelée, il pouvait conduire à 140 kilomètres à l'heure en quatrième sur une route départementale, sans se soucier le moins du monde du ronflement du moteur ni de l'élargissement par le constructeur automobile à la cinquième ou plus si affinités de la gamme des rapports… N'allez pas croire, il ne voiturait pas en état d'ivresse. Mais il n'était pas du tout exclu qu'une bouteille d'alcool bien raffiné ait trouvé sa place non loin du frein à main, quelquefois, à peine desserré. Il se raconte même que lorsqu'il roulait sur une ligne blanche, il disait : « Je ne conduis pas, je vise ! » Inutile d'insister : les plus gros tirages au sort du monde n'y changeront rien, un numéro comme lui n'existe plus.

Rien d'étonnant donc à ce que ce drôle de zigoto ait été vilipendé. L'auteur de cet ouvrage se souvient parfaitement qu'au tournant des années 1970-1980, il était beaucoup critiqué et rabaissé. « Quel guignol ! » s'exclamait-on volontiers. Les médiocres étaient prompts à se liguer contre un individu isolé qui paraissait avoir du talent à revendre. Allaient-ils triompher ? C'était déjà une interrogation. Dans la société de l'époque, un Jean-Edern Hallier était plus que précieux. Il dérangeait. Pourquoi ? Pour au moins trois raisons. D'abord parce qu'il avait réellement du talent. Un défaut gravissime qu'il fallait corriger. Ensuite parce qu'il était un provocateur traître à sa classe et ainsi tout à fait « dalirant » (2). Enfin, parce que ce « plumitif », entendait être une entité à lui seul. Cela n'était pas convenable. Il aurait dû être syndiqué. Pourquoi pas CGT, CFDT... Franchement curieux et insupportable, ce trublion qui osait s'exclamer *urbi et orbi.* À l'époque, seuls MM. Séguy et Maire, casquette sur le front et baguette sous le bras, semblaient avoir le droit de parler. Ils s'exprimaient « au nom de ». Voilà qui était essentiel. Les seconds pipeaux dominaient. Hallier, lui, n'était qu'un pamphlétaire, un orateur passionné, iconoclaste et un peu dingo, une caricature de polémiste flamboyant. Un guignol. Toutefois, huit membres de l'Académie française lui avaient à deux reprises accordé leurs suffrages dans une élection au fauteuil vacant de Maurice Genevoix où M. de Bourbon Busset, finit, lui, par en obtenir dix-huit. Ce qui autorisait à en conclure que les académiciens en question n'étaient que des guignols qui avaient voté pour un guignol ! Ou encore que l'Académie française commettait là, conformément à sa tradition, une bêtise historique, puisque le Jacques de Bourbon, comte de Busset, en question, se présentait certes comme un homme estimable, fort bien éduqué, de bonne pensée, compagnie et tout et tout, mais était un auteur gentiment académique, dont les imprimeurs ont eu lieu de beaucoup déplorer la disparition, au regard du caractère constant et prolifique d'une production sans réel intérêt littéraire et dépourvue de tout risque… « Ce que l'Académie préfère, écrivait déjà en son temps Octave Mirbeau (3), c'est le néant, un néant joli et ficelé, rasé de frais, aux cheveux bien lissés, au sourire madrigalesque, un néant qui ne laisse échapper de ses lèvres cousues que des sottises solennelles et des gaietés pincées, ce que, dans ce milieu, on appelle la politesse de l'esprit. » « L'Académie, renchérissait-il, ne demande que des courbettes. Et plus se courbe le candidat, plus il s'agenouille, plus il rampe, et plus il a de chances d'être admis dans l'illustre assemblée (4) ». Hallier n'en avait aucune, car il n'était pas du genre à ramper. Pas fils et petit-fils de généraux pour rien. Crapahuter, oui, droper dur le djebel, oui encore, au besoin. Mais pratiquer l'art des courbettes, nenni ! La souplesse des reins a infiniment mieux à faire – c'était sa douce et intime conviction – et il avait de surcroît conscience des limites vite atteintes du genre. Il lui était déjà suffisamment pénible d'observer que des personnes qui ne l'avaient point lu, et se montraient incapables d'écrire dix lignes originales, puissent se permettre de le dénigrer pour qu'il donne trop d'importance à des « immortels » souvent improbables, au sein d'une Académie que Barbey d'Aurevilly décrivait comme « un havre de vieux hérons moroses (5) » et qui n'était pas vraiment faite pour un oiseau du Paradis comme lui…

D'un de Bourbon Busset à l'autre, en quelque sorte, du reproductible au fil des siècles, alors que nul ne ressemblait à Jean-Edern Hallier, qu'il n'a pas existé de Jean-Edern Hallier auparavant et qu'il n'en existera pas après. Une différence qui fait plus qu'une nuance. De là, en partie, le drame hallierien – si *a-normal*, il ne pouvait être que marginal – et le cri lancé, le cœur nu, à Jacques Séguéla : « Quel est mon crime ? Celui d'être plongé dans le magma de mon siècle (6). »

« Hallier ? Qui c'est ?... » C'est une interrogation qu'il arrive d'entendre aujourd'hui et qui se conçoit parfaitement... Les années passent, les générations se suivent et s'ignorent, tandis que l'hypermédiatisation contribue sans doute à accélérer une forme d'alzheimérisation générale et qu'une forme de prudente réserve ou d'occultation reste de règle dans plus d'un cercle intellectuel.

De son vivant, ne serait-ce qu'avec son handicap visuel qui donnait l'impression qu'il cherchait en permanence le bon angle d'approche ou d'attaque, Hallier était un cas. Pas franchement un monstre, mais tout juste parfois. Un personnage un peu bizarre, parfois doté de ce rire inoubliable qui était le sien et plutôt avenant, parfois tourmenté et inquiétant, que vous pouviez croiser avec son loden vert en début de soirée d'automne ou en chemise ouverte, de couleurs écossaises, un jour de printemps, aussi bien à l'angle d'une rue donnant sur la place des Vosges que rue Notre-Dame-des-Champs, à proximité de La Closerie des Lilas, ou en un lieu tout à fait inattendu, et qui était à lui tout seul une chaîne de télévision d'info en continu, bien avant l'heure, ambulante de surcroît et d'une qualité, d'une richesse et d'une drôlerie sans commune mesure avec les machines à sons et à images adeptes de la méthode Coué et de la répétition jusqu'à l'abrutissement ou la disparition des téléspectateurs de passage (7). Hallier était l'improvisateur à proprement parler génial d'une actualité qui, grâce à lui, prenait toujours des couleurs. Il semblait en veille permanente pour tenter de changer les choses apparemment les mieux établies. Avec lui, sorte d'exhausteur de goût, de stimulateur de curiosité, et bien sûr expert reconnu ès provocation, la vie prenait une tournure intéressante, inhabituelle et captivante... L'ennui n'affleurait pas un seul instant. C'était le coup d'éclat permanent. Au mépris des éventuelles contradictions et sans que soient garantis l'intérêt ou la portée… « L'éclat ne présuppose pas toujours la solidité, a depuis longtemps mis en garde Jean-Louis Guez de Balzac, et les paroles qui brillent le plus sont souvent celles qui pèsent le moins [8]. »

En 1989, ce coup d'éclat permanent a trouvé – hélas ! – l'une de ses traductions journalistiques à l'occasion de la « résurrection » de *L'Idiot international,* qui devint vite le « point de ralliement », le lieu de rencontres improbables entre des intellectuels du Parti communiste français, ou du moins sympathisants de ce mouvement politique, et des représentants d'une droite dite « extrême » (de Gilbert Collard à Alain de Benoist en passant notamment par Alain Soral…). Les controverses passionnées furent alors l'essence même de cette publication provocatrice et volontiers foutraque, qui a peut-être contribué à faire de Jean-Edern un prolongement d'Andy Warhol et à asseoir sa réputation, mais qui l'a ruiné et moralement tué, tandis qu'un bras de fer avec un odieux aventurier – M. Tapie – s'insérait dans une bataille plus que déséquilibrée et jamais terminée avec l'abjecte mitterrandocratie toute puissante. À force de lui faire prendre de plus en plus ses distances avec un mode de vie grand bourgeois, *L'Idiot international* l'entraîna dans une quête éperdue d'émotions fortes et fut sans doute une erreur. Le statut d'homme libre, évoluant hors système, hors des cases autorisées, se paie souvent d'un prix exorbitant, et Hallier se refusa toujours à une appréciation classique de la situation. Pas question pour lui de faire le deuil des convictions et, comme l'a écrit Jules Renard, « de le porter en rouge et à la boutonnière ». Jamais de la vie ! Jean-Edern entendait coûte que coûte lancer son cri. Tout simplement parce qu'il était écrivain par vocation, que le premier signe d'existence est un cri, et qu'un écrivain, « à tout âge », pour reprendre les mots de Jean-François Deniau, « est un enfant qui continue à crier dans la nuit »…

D'aucuns n'ont pas manqué de fustiger sa mégalomanie ou sa mythomanie, d'autant qu'il paraissait prêt à, à peu près, toutes les provocations. « Haine ou mépris, tout m'est approbation » était sa devise (9), et il affectait de peu se soucier des remarques plus ou moins désobligeantes à son endroit. Quant aux articles de presse qui lui étaient consacrés, il affirmait s'y intéresser au moment de leur parution, mais ne pas les lire après-coup s'il avait manqué leur parution (10). En fait, comme il était sensible à leur conception et à leur rédaction, il maugréait devant ce qu'il considérait comme leur trop fréquente médiocrité. Lorsque leur contenu lui était désagréable, il avait un peu l'attitude d'un Henri Jeanson qui dit un jour à un critique, auteur d'un article venimeux : « Votre papier ? Je l'ai lu d'un derrière distrait »...

---

(1) Dans *Le Dandy de grand chemin.*

(2) « Jeune homme, pour réussir, il faut trahir sa classe ! » : c'est la phrase en forme de devise lancée par Salvador Dalí à la tête du publicitaire Jacques Séguéla qui l'a rapportée dans son livre *Fils de pub.* Hallier aurait fort bien pu être un homme on ne peut plus « rangé ». Il préféra se montrer choquant et dérangeant.

(3) « L'envers de la vie », *Le Matin,* 4 décembre 1885.

(4) « Notes académiques », *Le Matin,* 5 février 1886.

(5) Dans *Les Quarante médaillons de l'Académie* (1864), Jules Barbey d'Aurevilly (1808-1889).

(6) Dans *Fils de pub,* Jacques Séguéla.

(7) Ou encore, spécialisées dans le recyclage des « has been », que, pour certains, l'on croyait morts depuis des lustres... À l'exemple de LCI, cette filiale de TF1, dont la part d'audience demeure, il est vrai, quelque peu résiduelle.

(8) *Dissertations critiques,* tome II, Discours cinquième, à M. Costar, Jean-Louis Guez de Balzac (1594-1654).

(9) Rapportée dans l'émission « Tribunal des flagrants délires », diffusée sur France Inter, le 9 février 1981.

(10) « Tribunal des flagrants délires », émission diffusée sur France Inter, le 9 février 1981.

« Les passions (...) font moins de mal que l'ennui,
car les passions tendent toujours à diminuer
tandis que l'ennui tend toujours à s'accroître. »

Jules Barbey d'Aurevilly, *Une vieille maîtresse*

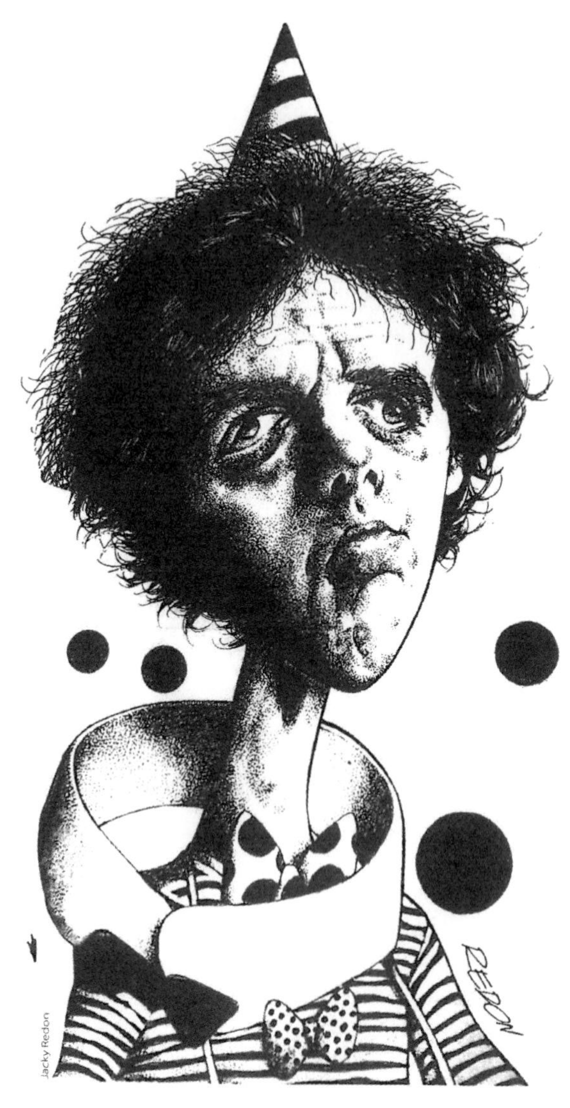

Dessin de Redon, paru en février 2017 dans *Service Littéraire,* le mensuel de l'actualité romanesque.

Tête à claques

« La liberté de tout dire n'a d'ennemis que ceux qui veulent se réserver la liberté de tout faire. »

Jean-Paul Marat (1743-1793),
Dénonciation à la nation contre M. Malouet, 1790

« Qui donc voudrait écrire, s'il pouvait faire mieux ? »

Lord Byron (1788-1824), *Journaux intimes*

Tête à claques, ce Jean-Edern ? Sans nul doute quelquefois. Ce provocateur né et chevronné pouvait avoir de quoi agacer et déplaire. Physiquement d'abord, parce qu'il lui arrivait d'afficher une tête peu avenante, une vraie gueule de raie à la Oscar Wilde, assortie d'un léger strabisme à la Jean-Paul Sartre. Même s'il portait une chemise blanche un peu entrouverte, à la Bernard-Henri Lévy, une écharpe unicolore ou un foulard à motif cachemire, rien n'y faisait. Intellectuellement, son goût manifeste pour la provocation, sa propension à se prétendre à la fois marginal et au centre du « système », alliés à un sentiment volontiers affiché de supériorité, exaspéraient plus d'un observateur. Reconnu de surcroît comme un « as de la récupération » (1) de ce qui se disait ou s'écrivait à son sujet, il était trop prompt à renverser toute situation à son avantage et trop habile ou « dalirant » en communication pour ne pas susciter moult vitupérations et jalousies. D'autant qu'il assumait le risque d'être dénoncé comme enflure médiatique, comme personnage ridicule, grotesque et tout à fait inutile...

« Nous savons, disait-il volontiers, que l'injure, l'exécration et la louange reviennent exactement au même. » Dans ces conditions, comment n'aurait-il pas revendiqué avec constance de pouvoir faire irruption – et même effraction – dans la société du spectacle, de se poser en aristo de la provoc, et de sculpter, comme le recommandait déjà Plotin en son temps (2), sa propre statue ? Assurément, s'il se donnait tant de mal pour être classé comme vraie « bête de scène » médiatique, ce n'était pas sans raison ! Quitte à suivre le conseil de Berlioz et à collectionner les pierres qu'on lui jetait en considérant qu'elles représentaient le début d'un piédestal, il entendait intervenir, faire irruption, dans la société. Et surtout, face aux innombrables obstacles ou pesanteurs, ne pas se résigner, c'est-à-dire, comme le proclamait Albert Camus dans *Noces,* et par-delà toutes les difficultés à surmonter, vivre ! Vivre avec toujours le souvenir en tête de la célèbre cantate BWV 26 de Jean-Sébastien Bach, « Ah, combien fugitive est la vie (3) ». Oui, « vivre », à la manière revendiquée par Zo d'Axa dans *L'Endehors,* « pour l'heure présente, hors le mirage des sociétés futures ; vivre et palper cette existence dans le plaisir hautain de la bataille sociale. C'est plus qu'un état d'esprit : c'est une manière d'être – et tout de suite. » Vivre en poursuivant ses chimères pour atteindre le réel et vivre sans excès de précautions, dès lors que renoncer à boire, à fumer et à faire l'amour ne donne pas l'assurance de vivre plus longtemps, mais tend à garantir que la vie puisse paraître beaucoup plus longue… Ce petit jeu peut vite vous valoir une drôle de réputation. Jean-Edern n'y a pas échappé. Alcoolo pour certains, pisse-vinaigre soumis à l'abstinence, accro au sexe ou érotomane pour d'autres, qui, parfois réduits à l'impuissance, enrageaient de ses rodomontades, de ses « bonnes fortunes » autoproclamées et de ses formules du genre : « La mémoire de mes couilles est remplie de mille prénoms adorables (4). » Ridicule dans tous les cas de figure… C'est vrai qu'avec Hallier, quand il donnait le sentiment à ses « groupies » dans les années 1980 que s'inventait sous leurs yeux éblouis une nouvelle esthétique en littérature, rien n'était trop fou. Il aurait pu être du genre à reprendre à son compte « Caramel mou », la chanson loufoque de Jean Cocteau sur une musique de Darius Milhaud et proclamer : « Prenez une jeune fille, remplissez la de glace et de gin, secouez le tout pour en faire une androgyne et rendez-la à sa famille »... D'autant plus déboussolant le personnage qu'il lui est souvent arrivé, deux fois plutôt qu'une, de donner l'impression d'évoluer à l'estime, « au doigt mouillé », et de paraître ne plus avoir le moindre repère. « Où étions-nous ? Où allions-nous ? Un jour, peut-être, dans un autre livre que celui-ci, avait confié le jeune Jean-Edern dans *La Cause des peuples,* je raconterai l'histoire de la folie, et non comme les philosophes et les médecins s'y essaient parfois avec leurs mots de pédants, tristes comme des Sorbonnes, attrape-nigauds de séminaires laïcs ; mais en pur voyant. J'ajouterai simplement ceci : pour s'en sortir, il faut avoir une terrible santé. Il faut naviguer, les yeux grands ouverts, louvoyer à fleur de récifs et confier son sort aux plus hautes marées de la chance. »

Au fil de ses pérégrinations-divagations, quand les circonstances s'y prêtaient et qu'il se sentait en forme, Hallier pouvait fort bien en arriver à se comparer à Homère, Tacite ou Tite-Live. Bien lancé, il devenait, à dire vrai, incomparable ! Seul en son genre, unique au monde ! Un côté Mister Bond s'engouffrant à grandes enjambées dans le Panthéon des célébrités. Appelez-moi Jean-Edern et je vous donnerai peut-être du James ! Comment ? L'Aston Martin ne nous attend pas à la sortie ? Qu'à cela ne tienne, aucune importance, la vie est trop courte pour être petite, comme disait si bien Benjamin Disraeli, la limousine de nos rêves nous emporte déjà... Comme nous n'avons pas le moindre liard en poche, il nous suffira de tirer le diable par la manche ou par la queue ! « Jean-Edern était cinglé, sans scrupules, bluffeur, relève à juste titre Edgar Morin dans son livre de souvenirs, *Mon Paris, ma mémoire,* avant de préciser : « il pouvait être d'une méchanceté immonde, mais c'était un écrivain ». Autrement dit, il n'y avait pas lieu de s'émouvoir qu'il passât pour fou, fantastique, encombrant, incompréhensible et même paresseux, dès lors que la paresse est la suprême qualité de tout homme de génie qui pense et œuvre quand les autres travaillent… Hallier n'est pas venu au monde pour ne rien troubler, pour ne pas essayer de changer les choses établies. Rebelle par essence puisqu'il y va de son existence, il mérite égards et patience. D'autant que la grande leçon churchillienne de la vie, c'est que parfois ce sont des êtres étranges, des fous comme lui, qui ont raison…

Alors, tant pis si l'érotomanie et le ridicule du mystificateur guettent et dérangent. « En France, le ridicule ne tue pas. On en vit », comme le rappelait Henri Jeanson, dans les dialogues de *Lady Paname.* De son époque, en somme, ce monsieur « Je suis moi » parmi une foultitude d'égocentriques hypocrites voulait être emblématique.

Le publicitaire mitterrandien Jacques Séguéla avait d'ailleurs prévenu : « Qui peut prétendre, écrivait-il dans *Fils de pub* paru au début des années 1980, que ces bêtes de scène ne sont pas les mages de nos réflexes ? Qu'ils aient le bon génie de la presse comme Bowie, ou le mauvais, comme Hallier, ils n'en exorcisent pas moins le mal d'être que nous vivons. Plutôt que d'en rire ou d'en pleurer, mieux vaut savoir. La coluchothérapie, cela existe. La clinique s'appelle média. Mais attention, avant toute hospitalisation, les cours de communication sont obligatoires, car dans cet établissement chacun est médecin de lui-même. »

Le mal-être, Hallier l'avait chevillé au corps. Une profonde anxiété existentielle qu'il lui est arrivé plus d'une fois de confier. « ... Il n'est point de matin, comme celui-ci, s'épanche-t-il dans ses *Carnets impudiques,* où je ne me sente le cœur serré, creusé par une angoisse que seul l'alcool fait disparaître très passagèrement, habité par le sentiment d'un destin raté. Qui me déchire à tous les instants, réduit à néant mon ambition – vraie, pas sociale – qui est immense, me donne l'impression d'une vie monstrueusement inutile, et pour avoir choisi la littérature, d'être le champion du monde toutes catégories d'une erreur de parcours. »

Son amertume pathologique s'expliquait. Jean-Edern était à la fois lucide, beaucoup trop sans doute, et, à certaines heures, nihiliste. Il n'ignorait pas que l'égoïsme est à la base de tout ce qui va mal sur terre, que penser d'abord à soi suscite des conflits, avec les autres, avec les autres communautés, les autres pays... Un mal universel. Il n'ignorait pas non plus que tout ce que l'homme voit, il le touche, et que tout ce qu'il touche, d'emblée ou à la longue, il le détruit...

Cependant, pour son mal-être, Hallier avait des excuses. La principale s'épelle M-i-t-t-e-r-r-a-n-d. Un politicien gangster, complice de crimes contre l'humanité, dont quelques-uns de ses acolytes arrogants, ultimes débris, parviennent encore à se faire piteusement remarquer (5). Cas encore de l'ancien ministre de l'Intérieur Pierre Joxe, dont le comportement pervers et honteux (6), dénoncé avec courage en octobre 2017 par la jeune Ariane Fornia, ne fait, hélas, par-delà les vaines dénégations et manifestations de soutien, que renvoyer au vice mitterrandien.

Homme aux cent vies antérieures d'avance, Jean-Edern aspirait davantage à faire date qu'à se faire une place. Il poursuivait ses chimères et avait ses fidélités – la Bretagne en fut une, sa fameuse « Bretagne, région, Europe » qui avait quarante ans d'avance sur les aspirations catalanes, écossaises, flamandes, basques ou corses... Avec pour première vertu un entêtement qui lui dictait de ne jamais abandonner, alors qu'il vivait dans un monde où l'on semblait pouvoir tout dire et où cela ne servait à rien. Sans doute avait-il cette conviction très soljénitsyenne que « tout ce qui emplit aujourd'hui les ondes de son vacarme pitoyable et stérile, et de ses grimaces, toutes ces enflures qui envahissent nos écrans de télévision – tout cela passera, s'évanouira, se perdra dans l'histoire en poussière oubliée », et que « cela dépendra de ceux qui vont devoir traverser cette sombre époque en contribuant par leur propre travail ou par une aide matérielle apportée au travail d'autrui, à sauver de la destruction, à relever, à consolider et à développer notre vie intérieure, celle de l'intelligence et celle de l'âme. Cette vie qui est la culture (7). »

---

(1) Selon la formule lancée sur le plateau de l'émission « L'homme en question. Jean-Edern Hallier », de Pierre-André Boutang, réalisée par Jean-Daniel Verhaeghe et Jean Baronnet, et diffusée sur France 3, le 9 juillet 1978.

(2) Plotin (205-270), *Ennéades* (254).

(3) Ah, combien fugitive, ah combien incertaine est la vie de l'Homme. Comme une nuée qui bientôt apparaît et qui tout aussitôt disparaît, ainsi est notre vie, voyez !

« Ach, wie flüssig, ach, wie nichtig
Ist des Menschen Leben.
Wie ein Nebel bald enstehet
Und auch wieder bald vergehet
So ist unser Leben, sehet ! »

(4) Comme disait en son temps la chansonnière Anne-Marie Carrière (1925-2006), « demander à un amant d'être discret, c'est demander à un coq de ne pas chanter au lever du soleil ».

(5) Cas de M. Louis Mexandeau, ancien ministre des PTT, qui put attendre fin 2017 pour découvrir, alors qu'il n'était plus député depuis quinze ans et ministre depuis un quart de siècle, qu'il devait payer son billet de train ! En juillet 2017, peu après l'élection d'Emmanuel Macron, il avait été mis un terme à la folle gratuité des transports pour tous les anciens membres du Parlement français.

(6) L'auteur de cet ouvrage avait été avisé dès le début des années 1980 par un excellent informateur, aujourd'hui disparu, des tendances libidineuses de cet individu.

(7) Alexandre Soljenitsyne, *Épuisement de la culture ?*

« La jeunesse est une ivresse continuelle ;
c'est la fièvre de la raison. »

La Rochefoucauld, *Maximes* (n° 271)

« Puisque nous durons si peu, il n'est pas raisonnable
que nos passions soient immortelles. »

Jean-Louis Guez de Balzac, *Les Œuvres de Monsieur de Balzac,*
divisées en deux tomes
(publiées par Valentin Conrart) (édition 1665)

« Seul l'éloge m'est supportable. »

Vladimir Nabokov (cité par Hallier au cours d'un
entretien filmé avec Raphaël Mezrahi)

Tête de l'art

« Dieu est le poète et les hommes ne sont que les acteurs :
ces grandes pièces qui se jouent sur la terre
ont été composées dans le ciel. »

Jean-Louis Guez de Balzac, *Socrate chrétien,* Discours VIII

« L'éternité, c'est long, surtout vers la fin. »

Attribué à Woody Allen

Hallier est-il un futur écrivain illustre ? C'est sans doute plus qu'une probabilité. Pour au moins trois raisons. D'abord, parce que, n'en déplaise à ses détracteurs, il ne s'est pas contenté de parler de beaucoup de choses et de construire sa propre cathédrale : il laisse, et c'est en cela qu'il a de la chance, une image de lui. Ensuite, parce que cette image ne se réduit pas à une silhouette à chemise ouverte et écharpe en cachemire, au profil d'un excentrique à bons mots, d'un simili-artiste en mode « people » et dilettante, adulé par des avant-gardes improbables en quelques cénacles germanopratins… De même que Joséphine Baker est une extraordinaire chanteuse, comédienne et femme d'honneur au charisme planétaire – et non simplement, comme le veut la caricature et comme le croient d'innombrables Français, une danseuse magnifique et survoltée, la « dame aux bananes », qui se trémousse et se déhanche en roulant des yeux exorbités –, Hallier ne saurait être confondu avec un olibrius médiatique ou avec l'hurluberlu qui faisait le pied de grue devant les portes bien gardées du palais de l'Élysée : il est une grande figure de la littérature, un génie écrivain, lucide jusqu'au désespoir, intransigeant jusqu'à la rupture, et, à tous égards, égaré dans une époque qui n'en finissait pas de se la jouer faussement belle. En clair, né trop jeune dans un monde trop vieux, infiniment trop vieux, où l'on voulait toujours mettre « des housses aux pieds griffus des pianos à queue qui donnaient des pensées lascives [(1)] », mais où le mot « France » relevait d'une imposture politico-sémantique de plus en plus manifeste… Comme tout grand et véritable artiste, ce vrai-faux Breton né à Saint-Germain-en-Laye avant d'être expédié en Tunisie, en Hongrie, puis ballotté en Turquie, débarqué durant plusieurs années aux États-Unis et finalement envoyé à Paris, n'a pas – et n'a jamais eu – de patrie. Sinon celle du souvenir.

Enfin, comment Hallier ne serait-il pas un futur écrivain illustre, dès lors qu'il a toujours été et qu'il reste « idéalement placé pour les flèches de l'esprit, de l'envie et du dénigrement [(2)] » ? Nul doute qu'il se trouvera toujours quelques vilains juges pour le condamner sans appel comme incongru inutile, provocateur démodé, « rouge-brun » sulfureux voire réactionnaire, ou pour lui rendre justice mais en le minimisant… À terme, il n'y en a pas moins de fortes chances qu'il soit admis dans les meilleures anthologies et monographies littéraires, reconnu, admiré, et encore le sera-t-il sans doute à l'étranger plus qu'en France même. C'est peut-être d'ailleurs hors du territoire hexagonal que les questions les plus cruciales posées par certaines de ses œuvres trouveront des échos passionnés et enrichissants qui, tels des vrilles sans fin, feront leurs trous, de plus en plus profonds et larges…

Jean-Edern ne pensait pas à l'avenir, mais il visait plutôt l'Edernité et il avait raison ! N'en déplaise à toutes les « grandes gueules » et à tous les « nains » qui l'ont environné et lui ont en apparence survécu, il s'est forgé, à force de faire date, une vraie place dans l'histoire littéraire. De lui resteront, parmi de nombreux souvenirs, celui d'une personne, la seule, qui a osé briser le silence, nommer l'interdit, l'indicible. Jour après jour, son esprit de poète et sa mémoire littéraire, il les a mis en scène et au service d'une lutte dépourvue de toute concession contre le pouvoir et le système de tartufferie politico-médiatique des années 1970-1980-1990. À défier un monarque-gangster, alors omnipotent, il a pris le risque de se retrouver jeté dans un cul-de-basse-fosse et anéanti. Mais pour avoir fait le choix de la plus belle des servitudes – celles de la littérature et de la liberté –, il a gagné et laisse des pages écrites dans une langue admirable, tour à tour lyrique, burlesque, tragique ou pittoresque et ahurissante de drôlerie, qui a de quoi entraîner, amuser, émouvoir, séduire des générations de lecteurs.

S'il appréciait beaucoup de séjourner au Maroc, Hallier n'était pas pour autant un berbère, mot qui dérive de « barbare ». Il était en réalité un *amazigh,* c'est-à-dire un homme libre, viscéralement libre, qui, par-delà les apparences et la superficialité dont d'aucuns le taxaient sans le connaître ou par jalousie, était un grand créateur et avait l'intuition de devoir aller au plus profond du plus haut. Bien sûr, il ressemblait souvent à Jules Barbey d'Aurevilly confiant à une amie : « J'ai beaucoup trop mondanisé cette semaine. J'ai perdu mon temps, ce qui est peut-être la meilleure manière de l'employer (3) ! » Bien sûr, il avait conscience que telle ou telle de ses œuvres pouvait être incomplète, inaboutie, imparfaite. Cependant, il savait aussi qu'il ne faut pas forcément vouloir aboutir, ni achever un ouvrage, mais l'interrompre un peu avant la fin, et que parfois le secret d'une réputation est d'avoir su partir avant la lassitude. Comme le rappelle Jean Guitton dans son *Journal,* « la vie circule dans ces lacunes. Celui qui épuise s'épuise. »

À Jean-Edern, avant qu'il ne trouve la mort à Deauville, a été donné un certain intervalle de temps qu'il a su consacrer – ce fut là sa sagesse – au domaine littéraire et à sa manière, c'est-à-dire comme une vraie tête de lard. Et de l'Art, « chose joyeuse », ainsi que le revendiquait haut et fort Ezra Pound dans *L'Esprit des littératures romanes (The Spirit of Romance)* où il réclamait, avec tout le sérieux dont il était capable, « une plus grande frivolité dans l'étude des arts, car l'art authentique n'est jamais ennuyeux, c'est l'affaire des artistes de chasser l'ennui, de stimuler l'esprit du lecteur ». Hallier écrivait pour ne pas mourir et vivait l'art en poète, non comme épiphénomène confiné à la périphérie de son existence, mais comme questionnement central de la condition humaine. Son présent était indéfini et le futur n'avait de réalité qu'en tant qu'espoir présent... Le passé, lui, n'avait de réalité qu'en tant que souvenir présent et ce qu'il y avait de bien avec ce passé, c'est qu'il était toujours permis de le rajeunir par l'imagination et de retrouver « le temps des cerises – des coquelicots pornographiques aux pétales de petites lèvres et des fraises de petits nichons pointus de demoiselles de bonne famille –, tout humide, gorgé de rosée et de bave en limace (4) »... Jean-Edern ne s'en privait pas. Tant et si bien qu'à la longue, il paraissait s'identifier avec la forme de son destin et devenir ses propres circonstances. C'était là, en grande partie, que commençait son désespoir d'écrivain, dès lors que « tout langage est un alphabet de symboles dont l'exercice suppose un passé que les interlocuteurs partagent (5) ». Quand il se souvenait, il percevait qu'il ne se retrouvait qu'avec lui-même et qu'il avait beau parfois écrire des pages en donnant l'impression qu'il aurait crevé s'il ne les avait pas publiées, il n'était pas du tout sûr que sa langue soit comprise, que ses références soient accessibles, que ses repères soient perceptibles... Refusant d'être un mort qui converse avec les morts, il persistait dans son entreprise littéraire car il possédait un don créateur et détenait quelque chose qu'il ne maîtrisait sans doute pas toujours. Dans *Les Rencontres des jours,* Claude Roy assure que « la seule façon vraiment intéressante de faire de la musique (ou de la littérature, ou de la peinture, ou du cinéma), c'est celle de maître Wang et de maître Nabokov : ne pas faire semblant, mais faire renaître, ou naître… » Eh bien ! Hallier, en grand illusionniste, ne faisait pas semblant. Il était les paroles ou les lettres d'un livre incessant qui était la seule chose qui existât au monde et qui était même le monde. S'il revendiquait son « droit d'ingérence dans la politique politicienne (6) », il se voulait « simplement un poète » qui entendait parler dans nos têtes et nos cœurs (7). Sans jamais avoir peur de déplaire, ce qui le rendait – et le rend plus que jamais ! – irremplaçable. Il se moquait comme de sa dernière chemisette de l'évolution de tout éventuel « indice » de popularité. S'il était catalogué comme « provocateur », c'est le plus souvent parce qu'il ne parvenait pas à faire connaître la vérité et qu'en nos temps de grande tromperie, d'imposture généralisée, le simple fait de dire une vérité passe pour un acte révolutionnaire…

Sans doute n'a-t-il pas toujours bénéficié d'un climat de liberté absolue pour faire du grand art, comme ce fut le cas pour certaines de ses œuvres, dont selon toute vraisemblance *Le Premier qui dort réveille l'autre.* Mais il s'est constamment attaché, au travers de sa langue, à donner l'image la plus exacte de ce qu'il convient d'appeler, au risque d'indisposer, l'esprit français, ce mélange singulier de culture et de légèreté, cette manière gymnopédique de sauter du coq à l'âne… que l'on retrouve aussi bien chez Jean-Louis Guez de Balzac, Mme de Sévigné, Voltaire, Pierre-Augustin Caron de Beaumarchais, Jean Cocteau ou Sacha Guitry. Artiste, il insistait toujours sur le fait qu'il était avant tout un poète et que tout travail littéraire est poétique. Il aimait montrer qu'avec lui, la vie peut être belle et la beauté plaisante en quelque lieu qu'on la rencontre, et que sans lui, nous serions amenés à en douter...

À la différence d'innombrables personnes, il sut être jeune et ne jamais devenir vieux. Avec l'espoir qu'aussi vieux qu'il vivrait, il mourrait jeune, quitte à devoir de temps en temps dormir la tête dans un seau à champagne, comme le touriste asiatique lambda au Lido de Paris après vol jumbo, double tour de ronds-points des Champs et de l'arc de Triomphe, et arrêt-chrono au Trocadéro...

N'empêche. Au regard des livres qui lui restaient à écrire, sa disparition a bel et bien été une « catastrophe intellectuelle », comme il avait lui-même prévenu dans ses *Carnets impudiques.* Mais elle eut pour vertu de mettre l'importance des traces qu'il a laissées en relief. « La vie, écrivait le plus sérieusement du monde George Bernard Shaw, égalise tous les hommes ; la mort en révèle les éminents (8). »

Hallier, cet incompris, cet animateur atypique des plateaux télé, ce damné de la littérature, était-il un génie ? Oui sans doute, car trop chantre de l'art, trop esthète sensible, trop Edernel libertin, c'est-à-dire épris de liberté de conscience, trop singulier bavard, et s'il était bien un génie, il fallait qu'il fût fou parce qu'il était complètement impliqué dans ce qu'il faisait.

Impossible de deviner ce qu'il advient de lui dans l'Au-delà... A-t-il fait mieux que retrouver la vue et observe-t-il avec soin l'évolution de certains terriens ? Peut-être s'initie-t-il à la samba, au jive, au cha-cha-cha, ou, pourquoi pas, au tango en bonne compagnie et s'applique-t-il à lui-même la recommandation d'Alessandro Baricco dans *Novecento : pianiste. Un monologue :* « Si tu danses tu ne meurs pas, et tu te sens Dieu » ?

Peut-être aussi se contente-t-il de découvrir et d'apprécier à leur juste mesure les si magistrales et oniriques démonstrations de Riccardo Cocchi et Yulia Zagoruychenko ou de Miguel Angel Zotto et Daiana Guspero, grands danseurs argentins de tango, ou encore de Jackie McGee et Charlie Womble, ce couple qui, depuis des décennies, fait du *shag* un enchantement, ou de William Mauvais et Maeva Truntzer, ces champions épatants du boogie-woogie ? Allez savoir... En bon « général de l'armée des Rêves », Jean-Edern ne peut qu'inviter au voyage ou à la plus libre des divagations, en version baudelairienne, luxe, calme et volupté, sur une musique de Duparc, ou encore grâce aux traces écrites de La Ville de Mirmont et sur des notes de Fauré. À moins qu'il ne préfère retrouver son âme d'enfant, lui qui aimait tant assister aux spectacles du cirque national Alexis Gruss, qu'il ne se déguise en clown blanc faisant mine de jouer du saxophone, comme dans une émission de télévision dont il était l'invité (9), et qu'il ne se métamorphose en déshypnotiseur, en réveilleur des belles au bois dormant... Pourrait alors commencer la grande parade du clown, qui le verrait de nouveau déclamer :

« Dormez bien,
Marchez sur les étoiles
Courez sur les nuages
La vie n'est qu'un songe bordé de sommeil. »

« Le génie n'est qu'un pouvoir de vision supérieur. »
Attribué à John Ruskin (1819-1900)

« Les artistes sont comme les philosophes (...). Ils ont souvent une trop petite santé fragile, mais ce n'est pas à cause de leurs maladies ni de leurs névroses, c'est parce qu'ils ont vu dans la vie quelque chose de trop grand pour quiconque, de trop grand pour eux, et qui a mis sur eux la marque discrète de la mort. »

Gilles Deleuze (1925-1995), *Qu'est-ce que la philosophie ?*

« Vaisseaux, nous vous aurons aimés en pure perte ;
Le dernier de vous tous est parti sur la mer.
Le couchant emporta tant de voiles ouvertes
Que ce port et mon cœur sont à jamais déserts. »

Jean de La Ville de Mirmont (1896-1914), *L'Horizon chimérique*, recueil posthume, 1920. Très inspiré par ce texte qui fait entrer dans un monde étrange et voluptueux, Gabriel Fauré a composé une musique tout spécialement pour le chanteur lyrique Charles Panzéra

---

(1) Dans *Carnets impudiques.*

(2) « Illustre », dans *Le Dictionnaire du diable,* Ambrose Bierce.

(3) Dans une lettre de Barbey d'Aurevilly à une amie (Louise Read) datée du 4 juillet 1880.

(4) Dans *L'Évangile du fou.*

(5) Dans *L'Aleph,* Jorge Luis Borges.

(6) Propos tenus au cours d'une émission de télévision présentée par Thierry Ardisson et diffusée le 12 octobre 1991.

(7) « Je continuerai à parler dans vos têtes et vos cœurs », propos tenus par Hallier, le 6 juin 1979, dans le cadre de la campagne officielle des élections européennes pour la liste Régions-Europe.

(8) Dans *Homme et surhomme.*

(9) Émission « Les Nuls » n° 41, diffusée le 23 décembre 1991.

« Quand je ne serai plus, ils n'ont pas fini de déconner.
Ils me connaîtront mieux que moi-même. »

Jacques Prévert (1900-1977), *Travaux en cours* (Soleil de nuit)

« Le vrai tombeau des morts, c'est le cœur des vivants. »

Tacite, dans *Germania* (parfois attribué à Victor Hugo, souvent à Jean Cocteau)

Le Premier qui dort réveille l'autre : une œuvre d'exception

« Le premier signe d'existence est un cri. L'écrivain, à tout âge, est un enfant qui continue à crier dans la nuit. »

Attribué à Jean-François Deniau (1928-2007)

« Lire, c'est d'abord extraire d'un texte des éléments signifiants, des miettes de sens, quelque chose comme des mots-clés que l'on repère, que l'on compare, que l'on retrouve. »

Georges Perec (1936-1982), *Penser/classer*

En matière de livres comme du reste, il ne faut jamais se fier aux apparences. *Le Premier qui dort réveille l'autre* ne déroge pas à la règle. Il se présente comme un petit ouvrage de rien du tout. Son titre fait songer à un conte pour enfants qui doit pouvoir se lire en quelques minutes à peine. Ses 150 pages éditées en collection de poche semblent bien légères, quitte à donner l'impression de ne pas faire le poids... Erreur sur toutes les lignes. *Le Premier qui dort réveille l'autre* est une œuvre hors norme. Sans doute l'un des chefs-d'œuvre de la littérature française. Rien moins. De sa lecture, impossible de s'extraire indemne. C'est le genre de texte qui vous écrase la concurrence. Les deux Jean de l'Académie française – Jean d'Ormesson et Jean Dutourd – avaient eu l'intelligence de le comprendre et la lucidité de l'admettre, à la différence d'autres membres de leur institutionnelle confrérie. Hallier était capable de faire du d'Ormesson ou du Dutourd et *a fortiori* de l'académicien moyen. Mais ni d'Ormesson ni Dutourd n'étaient en mesure de faire du Hallier version *Le Premier qui dort réveille l'autre...* L'apposition du label Gallimarket, les impressions sur papier bible, les reliures pleine peau, n'y auraient pu rien changer et n'y changeront jamais rien.

Pacte avec la postérité

En 150 pages, celui que tout le monde croit connaître comme polémiste flamboyant et provocateur, animateur de plateaux télé un peu fêlé, hurluberlu iconoclaste, médiatique et cathodique, a scellé un pacte avec la postérité. *Les Aventures d'une jeune fille* fut un coup de maître qui l'avait presque hissé au rang d'écrivain de race. Avec la parution du *Premier qui dort réveille l'autre* une quinzaine d'années plus tard, en 1977, le « presque » n'est plus de mise. Hallier se montre créateur authentique, amoureux forcené du verbe, styliste accompli : ce roman-là frappe par sa singularité – profonde et subtile – et s'impose par sa maturité. D'une lecture accessible, il évoque avec beaucoup de sensibilité et de panache les rapports fraternels, l'enfance et ses paysages réputés oubliés. Il met en scène la découverte par un petit garçon des premiers indices de la maladie mortelle dont est atteint son frère... « Bref, la liste des grands écrivains, que je ne suis pas, est innombrable, car je suis un enfant de onze ans, je suis malade, je vais mourir. La nuit, dans notre chambre, je chuchote anxieusement à mon frère, avant de lui poursuivre le récit de mes nouvelles Mille et une nuits : *Le Premier qui dort réveille l'autre.* Bientôt, je m'engloutirai dans le néant. »

Palais des glaces

Dès les premières pages, le livre en forme de lettre d'adieu à un âge qui menace volontiers, si d'aventure il venait à se prolonger, de vous tirer par le fond, prend une allure bouleversante et enchantée : avec ses « merveilleux miroirs, capables de refléter le monde entier » mais qui parfois se brisent, il apparaît comme un palais des glaces où les images et les métaphores, abondantes et magnifiques, se renvoient les unes les autres, au point de donner l'impression de pouvoir se répercuter à l'infini… Ici, c'est un chirurgien dont les doigts « jouent sur le manche en plastique noir de la scie comme d'un archet qui commence sur la paroi du crâne son insoutenable solo de crécelle ». Ici encore, c'est la mer, dont les « vagues mauves, vertes, agitent sur le sable blanc un rapide éventail, encerclent de leur onde les piquants du chardon marin, abandonnant çà et là, en se repliant, de minces flaques de lumière, et laissent derrière elles un pâle cercle noir ». « Ah, qu'elle est belle, la mer… », confie le narrateur avant de s'imaginer avoir perdu la vue et de se représenter « l'iris, la pupille, perdant leurs couleurs, s'estompant, recouverts d'une couche de peau uniforme » : « Je marcherai, songe-t-il, avec une canne d'aveugle qui fera toc toc toc, sur le trottoir. Pour traverser les rues, on me donnera le bras. Bref, la mort noire ne cessera plus jamais. La vie se changera en un interminable songe obscur peuplé des ombres de mes ombres… » Là, cependant, comme si un nouveau principe d'Archimède voulait que « tout corps plongé dans le noir subi(sse) une élévation des sens transcendés par la perte de la vue », *Le Premier qui dort réveille l'autre* se mue en livre de jardinier, herboriste et parfumeur, où les « fleurs se déclarent prêtes à se lancer en campagne ». Effet guerrier et expressionniste garanti, en particulier quand « les œillets se mettent au garde-à-vous, les narcisses se caressent joliment les étamines de leurs pétales jaunes, les azalées entonnent des hymnes martiaux : *zalez, zenfants de la patrie.* Dame pétunia jacasse. Les dahlias émettent de grandes confidences historiques. Les cyclamens se nettoient le calice en susurrant : "Va y avoir du grabuge", et que les violettes chuchotent : "Nous tricoterons pour les prisonniers." » Dans cette émouvante ode à la petite enfance retrouvée, les « nuits de mûres et de myrtilles s'ensemainent », tout finit par s'effacer nuitamment, et le narrateur, Paul, qui ne laissera « jamais à personne d'autre le soin de dire que tous les ans, de un à neuf, sont le plus bel âge de la vie, et ainsi de suite », « reste seul, fils de la nuit et du néant ». Seul, mais avec le souvenir récurrent, quasi hologrammé, d'Aubert, ce frère aîné qui resta petit mais qui, durant les onze années qu'il vécut, fit que Paul fut Aubert. « La vie eut son visage, son pouvoir d'attraction, tour à tour radieux et assombri par la maladie. » Paul fut même si éperdument Aubert, qu'il manqua souvent « de basculer en lui au point de se perdre en son propre gouffre, irrésistiblement atteint par le vertige de son propre mal »... Cet Aubert, « enfant de la patrie des rêves », lucides ou pas, alors qu'« interdites sont les portes de la nuit » et qu'entre un premier sommeil et l'espace à peine éclairé d'une fenêtre, il y a lieu de longtemps hésiter à séparer du rêve antérieur ce « monde jeune, frais, noir et odorant qui sans secousse déplace simplement les songes »... Au point de rendre incapable de se souvenir de s'être parfaitement éveillé, tant ce qui arrive ensuite reste « nimbé d'étrangeté » et vient contredire aux habitudes de la raison. Entre le sommeil et la veille, c'est un point de soi-même où parviennent les mystérieuses féeries du rêve et la simple fraîcheur de la nuit... « ... La nuit, on invente, commente Aubert, le jour on joue ce qu'on a inventé. » Tiens ! c'est encore cet Aubert qui détourne la tête vers le fond du jardin, écarquille les yeux, « en proie à une vision intraversable », impossible à partager, et murmure,

« entre ses lèvres serrées, les mâchoires contractées, presque en sifflant : "Véronique..." » Sans songer aux chanteuses Véronique Sanson ou Véronique Soufflet, n'allez pas croire, juste Véronique, « Véro, roni, ni, ni, comme dans la chanson, ni, ni, peau douce, duvet des rêves »... Hélas, l'air est moite, « il se répand en une vapeur humide », et un oiseau, Rock, a même élu domicile dans le crâne du prince arabo-juif Shee, puisque c'est ainsi que Paul transpose la découverte que son frère a une tumeur au cerveau. Il y a donc de moins en moins lieu d'en douter : « les plus belles pages de la vie d'Aubert, le rêve, sont tournées », « les tambours du ciel battent la chamade » et « d'invisibles anges musiciens volettent, s'accrochent aux branches qui cassent et se livrent à mille espiègleries aériennes zébrant la nuit ébouriffée »... À moins qu'elles gesticulent sauvagement ou « se déroulent dans le ciel en chevelures fraîchement démêlées ».

Qu'importe ! « Les jours se déplient, se froissent, les jours, cocottes de papier d'argent, s'envolent à tire-d'aile »... Nous allons, c'est sûr, tous passer et « même la Seconde Guerre mondiale ne sera plus qu'un épisode insignifiant dans la catastrophe tranquille de l'univers ». « Bientôt on aura tout oublié : Hitler, connais pas. » Alors, autant basculer dans le sommeil, même s'il y a un risque qu'une douleur apparaisse au réveil et ne cesse de s'aggraver depuis. Des migraines, il en est de glorieuses qui ont pour vertu de rapprocher les individus. C'est le cas pour Paul et Aubert puisqu'elles aident le premier à partager les souffrances du second « et, qui sait, à soulager les siennes... » Le lecteur, lui, doit se résoudre à prendre congé de ses pages à la fois touchantes, cruelles et envoûtantes, en se disant « Je m'appelle Paul et/ou Aubert », histoire de saluer l'un et l'autre, sans omettre de témoigner de sa gratitude à l'auteur, un certain Jean-Edern...

« Écrire : essayer méticuleusement de retenir quelque chose, de faire survivre quelque chose : arracher quelques bribes précises au vide qui se creuse, laisser, quelque part, un sillon, une trace, une marque ou quelques signes. »

Georges Perec, *Espèces d'espaces*

« La littérature, c'est la pensée accédant à la beauté dans la lumière. »

Charles Du Bos (1882-1939),
La Notion de littérature et la beauté du langage

Abécédaire hallierien

Il était, pour reprendre les mots du poète Jehan Rictus (1867-1933) dans ses *Soliloques,* « l'Artiste, le Rêveur, le Lépreux des Démocraties », *a fortiori* quand un régime est aux mains de gangsters, de criminels et de pervers... Jean-Edern Hallier vivait avec son temps, mais aussi et surtout, fort heureusement, au-delà de son époque. Les réflexions et aphorismes contenus dans cet abécédaire en témoignent souvent et s'inscrivent dans le prolongement d'un premier recueil publié en 2016 dans *Hallier, l'Edernel jeune homme.* Si certaines citations risquent d'agacer des lecteurs qui les trouveront peut-être quelque peu « réductrices » et abruptes, d'autres devraient inciter – c'est en tout cas l'espoir qui sous-tend la parution – à découvrir ou à mieux cerner Jean-Edern afin qu'il soit de plus en plus reconnu à sa véritable hauteur.

Actualité

« Les misères inactuelles n'enrichissent que l'oubli. Une injustice qui date, c'est une condamnation sans appel, puisque, au tribunal de l'actualité, la cassation est toujours événementielle. »
(Bréviaire pour une jeunesse déracinée)

Alcool

« J'ai toujours été alcoolique, comme les Bretons. Je mélangeais tout : la fameuse absinthe de Verlaine, le bourbon, le Ricard. J'ai pris des cuites mémorables pendant trente-cinq ans, je n'ai pas dessoûlé. »
(Fulgurances)

Amour

« L'onanisme, c'est la structure même de l'amour, puisque l'amour, c'est le désir de l'absence. »
(Fulgurances)

« L'amour humain et l'amour divin se répondent, se prolongent mutuellement en notre plus profonde solitude. Solitude partagée, ou solitude qui ne se partage jamais : celle du risque. »
(Bréviaire pour une jeunesse déracinée)

« Je n'en peux plus, dit la fille, ça fait trois semaines que je n'ai pas fait l'amour. Fais attention, lui répond l'autre, ça cicatrise. »
(« Journal intime », *L'Éventail,* septembre-octobre 1987)

Angleterre

« Quand l'Anglais passe devant le palais royal, le Buckingham Palace, il lape l'air goulûment. On appelle ça une bouchée à la reine. »
(Fulgurances)

Apocalypse

« Une seule voie nous est tracée. Il faut la suivre, n'en déplaise à ceux qui croient à un mondialisme inévitable. La seule démocratie populaire est celle du Jugement dernier – celle de l'Apocalypse de saint Jean. »
(Bréviaire pour une jeunesse déracinée)

Apparence

« Trois épithètes pour désigner la dernière mode : soyez beau, gentil et musclé. L'apparence est la chair même de la chose visée. »
(Bréviaire pour une jeunesse déracinée)

Argent

« L'argent me brûle les doigts, c'est pour ça que je le jette aussitôt par la fenêtre, mais il ne se décourage pas, il revient par la porte. »
(« Journal intime », *L'Éventail,* septembre-octobre 1987)

« Je suis très doué pour gagner de l'argent et même pour faire le maquereau. »
(Fulgurances)

Aristocratie

« Aujourd'hui, je parle du pouvoir aristocratique de certains individus d'intervenir dans la société. Pourquoi pas... Mais l'aristocratie, attention ! ce n'est pas la noblesse, ce n'est pas un titre, c'est une volonté, une gaieté, une intelligence de la vie et une forme d'espérance. »

(« L'homme en question. Jean-Edern Hallier », émission de Pierre-André Boutang, réalisée par Jean-Daniel Verhaeghe et Jean Baronnet, et diffusée sur France 3, le 9 juillet 1978)

Badinter (Robert)

« Badinter, ce Savonarole de la douceur, mais qui manquait d'un véritable courage de la pensée, bourgeois, sectaire et mondain, échoua dans sa grande réforme, celle du code pénal datant du XIXe : l'armée d'experts et juristes qu'il avait convoquée achoppa sur l'incapacité à déterminer les valeurs actuelles de la société française. »

(« Journal intime », *L'Éventail,* septembre-octobre 1987)

Banlieue

« Il n'y avait pas de problème de banlieue quand Louis XIV y habitait. »
(Fulgurances)

« Si vous voulez résoudre le problème des banlieues, fusillez les architectes. »
(Fulgurances)

« Casser en banlieue est un devoir national. De toute façon, il faudra tout reconstruire. »
(Fulgurances)

« Pas étonnant que les banlieues souffrent : elles sont l'épiderme d'une ville. »
(Fulgurances)

« Les banlieues sont des toiles d'araignée qui ne prennent que les pauvres. »
(Fulgurances)

« Il vivait en banlieue, c'est-à-dire nulle part. »
(Fulgurances [1])

Beau

« Le beau, c'est le douloureux – même si ça paraît gai. »
(Fulgurances)

Bien

« Personne ne peut être ouvertement contre le Bien. Le grand art du Malin, c'est de le dérouter. L'ennemi des libertés feint toujours de les défendre, le désinformateur stigmatise la désinformation, le représentant officiel du génocide se rhabille en humaniste, et la dame de charité s'assied sur la bouche ouverte du pauvre qui appelle au secours. »
(Fulgurances)

---

(1) Hallier reprend là l'expression d'Alfred Jarry dans son discours de présentation d'*Ubu Roi,* lors de la première représentation de cette pièce.

« Les bons sentiments, c'est notre vaseline. Désormais la survie d'un affamé nourrit grassement cinq fonctionnaires du Bien. »
(Fulgurances)

Bonheur

« Le bonheur moderne, reléguant la politique aux écuries désaffectées de l'Histoire, est hypodermique. C'est un bonheur par anesthésie La seule forme immédiate du bonheur : le lâche soulagement, l'ultime hypostase. »
(Bréviaire pour une jeunesse déracinée)

« Il n'est point de bonheur sans transcendance. Point de possession, d'avenir, de savoir non plus ! Comme il n'est point de bonheur d'un couple sans l'épreuve transcendante du temps ; point de vocation sans apprentissage. »
(Bréviaire pour une jeunesse déracinée)

« Pour les grands oiseaux de proie de notre espèce, vautours se rassasiant de la charogne des peuples, les temps présents auront été durs, je vous le dis. Plus de révolution, plus de résistance ; un cortège de désillusions ininterrompues aura accompagné notre montée vers l'âge d'homme. Nous voulions tout ; on nous gava avec la corne d'abondance de la paix sociale. On fit passer notre satiété pour du bonheur, quand il ne s'agissait que d'écœurement. »
(Chaque matin qui se lève est une leçon de courage)

« Rien ne découragera les gens heureux. On est heureux comme on est plombier.

– Monsieur, quelle est votre profession ?

– Bah, moi, je suis heureux. »
(Fulgurances)

« Aujourd'hui, je ne connais pas d'idée plus démodée, en Europe, que celle du bonheur. Saint-Just se meurt. Saint-Just est mort… Les nouveaux fantômes de la jeunesse, erratiques, dispersés, se constituent en faibles hordes, ou en groupes musicaux, ne cherchent plus le bonheur, mais la jouissance. »
(Bréviaire pour une jeunesse déracinée)

« Je hais le bonheur, je le méprise. Par toutes les fibres de mon corps, je le rejette. »
(Bréviaire pour une jeunesse déracinée)

Bonté

« Je suis un rousseauiste incorrigible. Je crois en la bonté de l'homme. C'est une maladie. »
(Fulgurances)

« Si on parle en termes de bons et de méchants, le bon est un rouleau compresseur, tandis que le méchant, c'est la guêpe qui vient vous emmerder. »
(Fulgurances)

Calvi

« Calvi, flagrant délire de mon imaginaire. »
(L'Évangile du fou)

Castro (Fidel)

Fidel Castro, « cet homme dont le nez long et droit ressemblait à un heaume de chevalier du Moyen-Âge… (…) Tout en lui était marqué par l'âge. Pas par la vieillesse. Mais par les entailles profondes, notamment son front plissé d'attentions que l'Histoire lui avait imprimées. Sauf son regard comme l'aurait noté l'oncle Ernest – je veux parler d'Hemingway écrivant

Le Vieil Homme et la mer – qui était gai et clair et qui avait la couleur de la mer. »
(Conversations au clair de lune)

« J'aime le côté Astérix de Fidel Castro qui lutte depuis trente ans, comme moi, contre les vilains Romains. »
(entretien avec Jean-Pierre Jumez en 1992, accessible sur Internet)

Célébrité

« J'ai la célébrité, autant qu'il m'en faut pour mener ma vie luxueuse – et luxurieuse – trois fois au-dessus de mes moyens. J'ai mes châteaux, mes maisons, ma moto, mes pieds et une compagne idéale d'écrivain : "À l'ombre de tout génie, il y a une femme qui souffre", disait Jules Renard. »
(« Journal intime », *L'Éventail,* septembre-octobre 1987)

Civilisation

« On nous a enseigné que toutes nos civilisations sont mortelles, mais on a oublié de vous dire que les seules civilisations vivantes sont des chantages réussis. »
(Bréviaire pour une jeunesse déracinée)

Censure

« Le supplice du censeur, c'est de haïr en silence. »
(cité par Sébastien Bataille sur son blog, aurayoncd.blogspot.fr)

« La censure, c'est le préservatif de la pensée. »
(Fulgurances)

Centre

« Je pense que la marge n'est pas dans la marge mais que le centre est ailleurs. »
(Le Dandy de grand chemin)

Chiens de garde

« L'angoisse de l'écuelle, c'est finalement le seul réflexe conditionné des chiens de garde de l'Ancien Régime. »
(Fulgurances)

Chrétiens

« Les chrétiens ne se résignent pas, du moins au sens où l'entend le monde. S'ils souffrent en silence des injustices dont s'émeuvent les médiocres avec leurs tirades pleurnichardes sur les droits de l'homme, c'est pour mieux retourner contre cette injustice toutes les forces de leur âme. »
(Bréviaire pour une jeunesse déracinée)

Cinéma

« Cinéma : jamais un art n'aura dépensé autant d'argent pour donner si peu. »
(« Journal intime », *L'Éventail,* septembre-octobre 1987)

Clou

« Il ne faut jamais cesser d'enfoncer son clou, même si on se tape sur les doigts. »
(Fulgurances)

Cogito

« Le cogito des suiveurs : je pense donc je suis. »

(« Journal intime », *L'Éventail,* septembre-octobre 1987, puis « Le cogito cartésien des moutons de Panurge : je pense donc je suis », *Fulgurances*)

Collaboration

« La collaboration est autant une affaire de choix politique que de tempérament. (...) Il y a des gens qui, quel que soit le régime, seront toujours des collaborateurs, du côté de la répression, du système en place, quel qu'il soit. »

(entretien avec Pierre de Boisdeffre [Pierre Jules Marie Raoul Néraud Le Mouton de Boisdeffre, dit, 1926-2002], émission « Le Fond et la forme », Office de radiodiffusion-télévision française, 19 février 1973)

« Le propre de l'esprit de collaboration, c'est de feindre de choisir le sort que l'occupant vous impose. Ce n'est pas chercher à résister, mais à sauver la face. »
(Fulgurances)

Coluche (Michel Colucci, dit, 1944-1986)

« Coluche eut une sorte de génie, celui de rabaisser l'humanité, c'est-à-dire de la remettre à sa vraie place de sordide chiennerie, de lui plaire par en bas, délibérément, cyniquement, et de lui renvoyer le miroir de sa propre vulgarité – « elle a eu des enfants, parce qu'elle ne pouvait pas avoir de chien », s'écriait-il d'une voix anale.

Notre déchéance de civilisation vient de loin : elle date de la Belle Époque où les gens d'argent découvrirent que le pétomane, un Italien au centre gonflé au haricot rouge de la plaine du Pô, remplissait plus les salles que la grande tragédienne Sarah Bernhardt. Dès lors, ils ont cessé de miser sur le grand art pour faire dans la pétomanie. Leur note à eux, leur moment d'extase auditive, pas le *mi* bémol, le pet, la soufflerie de leur âme !

Depuis, tout art, tout divertissement, toute pensée, auront lentement obéi au culte de la grande pétomanie universelle, et les hommes idolâtrant l'argent se sont mis à genoux, à montrer leur cul, à s'en servir, à parler avec, à oser même : avec Coluche, c'était la liberté d'excrétion – pas d'expression.

Il y allait fort, il faisait chier le monde, il nous mettait le nez dans notre caca, il sortait de sciences-pot, c'est le cas de le dire. C'était un homme de notre temps. Saluons-le, il méritait la plus belle épitaphe, d'ailleurs il l'eût aimée : Coluche, ça commence par **colique,** ça se termine comme **baudruche.** Il creva. »
(« Journal intime », *L'Éventail,* septembre-octobre 1987)

Come-back

« J'avais mis tout en jeu pour réussir mon come-back, mais je me répétais maintenant : à quoi bon ? Pour faire les mêmes grimaces qu'avant ? Pour rejouer la comédie du paraître ? N'en avais-je pas goûté à satiété ? Le succès, quel succès s'il ne s'accompagne pas de l'épanouissement de soi-même, de l'harmonie intime que je venais de découvrir en trois ans de marginalisation ? Le fond du gouffre, je l'avais connu mais c'était le paradis... »
(Carnets impudiques)

Communication

« Aujourd'hui, on n'a plus jamais de duels qu'avec des mots à blanc. C'est la conséquence funeste, mais logique, de la machinerie bien huilée de la communication. Elle tourne à vide.

Sa seule fonction : fabriquer l'huile nécessaire à sa propre lubrification. »
(Fulgurances)

« On ne dialogue plus, on communique. On ne s'exprime plus, on publie un communiqué. On ne pense plus, on fait un communiqué. »
(Bréviaire pour une jeunesse déracinée)

Communistes

« Les communistes ne sont plus l'abcès purulent de l'Occident, mais le kyste. Un kyste est toujours digne. »
(Fulgurances)

Conformisme

« De toutes les dépravations morales, le conformisme est la racine de tous les maux. »
(Les Puissances du mal)

Courage

« Le courage existe à tous les niveaux… Le courage est une qualité qui me paraît fondamentale, une qualité morale, une qualité oubliée, de plus en plus oubliée. Nous vivons dans un monde de l'intimidation. Nous pouvons avoir toutes les formes de courage et nous devons inventer notre courage au fur et à mesure, même si apparemment nous avons encore une tunique de Nessus, tunique de Nessus de la bourgeoisie. »
(entretien avec Pierre de Boisdeffre, émission « Le Fond et la forme », Office de radiodiffusion-télévision française, 19 février 1973).

« Le vrai courage, c'est assumer le contre-choc du changement d'avatars. »
(Bréviaire pour une jeunesse déracinée)

Création

« La création commence par la copie avant de la transfigurer. Le grand art passe obligatoirement par la décalcomanie invisible des maîtres qui vous ont précédé. »
(Fulgurances)

Crime contre l'humanité

« Le plus grand crime contre l'humanité, c'est de ne pas égorger les imbéciles. »
(Fulgurances)

Critique

« Les éreintements critiques conservent mieux que l'alcool ne le fait d'un pruneau. »
(Fulgurances)

Cuba

« Je me suis laissé enchanter par un pays (Cuba) qui a son style baroque de ses cathédrales et surtout qui a la plus belle, la plus immense de ses cathédrales qui est invisible et qui s'appelle la salsa, le son, car les Cubains sont des inventeurs de mélodies admirables. »
(émission de télévision « Ex Libris »; diffusée sur TF1 en 1990)

Culture

« Nous savons maintenant comment la culture se meurt. Elle ne disparaît pas : elle tombe en dehors de la télévision. Sa mort

se passe donc calmement, inaperçue, et ne scandalise personne. »
(« Journal intime », *L'Éventail,* septembre-octobre 1987)

Deauville

« Deauville. Quand tout le monde s'en va, j'arrive. Quand tout le monde revient, je m'en vais. J'aime les grandes stations balnéaires, mais pour y vivre à contretemps, tout contre ce temps froid qui effile ma pensée comme un grand coup de rasoir de barbier. »
(Les Puissances du mal)

Démagogie

« Une société mue et dirigée par les sondages d'opinion est une société complètement pervertie par la démagogie. La confusion faite aujourd'hui entre démocratie et démagogie est vraiment pernicieuse. Par démagogie on lancera la bombe atomique, par démagogie on affamera une partie de l'humanité, par démagogie on fera n'importe quoi ! La démagogie joue sur la peur, la lâcheté, tout ce sur quoi les démagogues s'appuient pour gouverner. »
(Le Dandy de grand chemin)

Désir

« La déperdition du désir n'est qu'une lassitude de l'esprit. »
(Fulgurances)

Dieu

« De quel imaginaire relève la vérité, sinon de Dieu, ou du père ? Dieu est le Père descendu au fond de nous-mêmes. Il est sans

âge. L'âge du père, lui, est le terme de comparaison de la transcendance intime. »
(Bréviaire pour une jeunesse déracinée)

Différence

« À chaque nouvelle différence, c'est une nouvelle liberté qui vient de naître. »
(Fulgurances)

« Contrairement à l'arithmétique, faire la différence, c'est additionner le monde. »
(Fulgurances)

Douleur

« Toute douleur est valeur. Tel est mon propos résolument catholique. Une horrible, une invisible répression accompagne la montée vers l'âge d'homme de quiconque veut à la fois ne rien céder de son enfance, et tout conquérir du monde adulte. »
(Bréviaire pour une jeunesse déracinée)

Doute

« L'enfance et le prophète se ressemblent : ils jouent tous deux aux osselets sur les marches du temple de Delphes. Je ne compte plus les marelles métaphysiques, où l'on avance à cloche-pied sur la carte du temps ! Le doute nous donne cette légèreté déchirante. »
(Bréviaire pour une jeunesse déracinée)

« L'homme prend son essor dans le doute. C'est parce qu'il doute qu'il accède aux grandes croyances instinctives de la vie. »
(Bréviaire pour une jeunesse déracinée)

Écologie

« L'écologie, c'est bien, mais ça ne concerne pas que la nature. C'est toute la pensée française qui est polluée. »
(Fulgurances)

« L'écologie est devenue la poubelle de la politique, une entreprise de recyclage pour politiciens en manque. »
(Fulgurances)

Écrivain

« On ne s'improvise pas écrivain. On le devient comme la chenille devient papillon, dans la lenteur profonde d'une métamorphose organique. Avant de s'envoler, il faut avancer comme un mille-pattes au ras des mots, sur l'écorce des grands chênes de la pensée. D'abord, il faut être humble. »
(Je rends heureux)

« Le travail d'écrivain implique une grande, une profonde solitude, une paresse anxieuse et studieuse… (…) La solitude, c'est quelque chose de merveilleux. La solitude n'a de sens et de valeur que si elle est enchantée et la solitude de l'écrivain l'est toujours quelque part… »
(émission « 30 millions d'amis », diffusée sur TF1, le 14 février 1981)

« Je suis un écrivain. Rien qu'un écrivain. Je suis un poète. Rien qu'un poète. Je ne suis pas un idéologue manichéiste qui apporte une vision préfabriquée du monde. Je n'ai pas d'opinions politiques. Les opinions sont aujourd'hui trop bas pour que je les ramasse, et j'ai mal au dos. »
(émission de télévision « Ex Libris » diffusée en 1990)

« Le journaliste a le nez sur le temps immédiat, pour l'écrivain, la reprise du temps imaginaire fonde la parole. »
(Fulgurances)

« La seule colonne vertébrale de l'écrivain, c'est l'orgueil. »
(Fulgurances)

« Pour un écrivain, la prison c'est la Santé. »
(Fulgurances)

« On a toujours condamné les écrivains pour la confusion entre la fiction et le vécu : il faut devenir un délinquant de papier. »
(Le Mauvais esprit)

« Tout homme politique réussi est un écrivain raté. Tout écrivain réussi est un politicien raté. »
(Fulgurances)

« Un jour Mitterrand m'a demandé : "Comment fait-on pour devenir un grand écrivain ?" Je lui ai répondu : "On dit la vérité." J'ai lu sur son visage d'ivoire une insondable perplexité. »
(Fulgurances)

« L'écrivain est un terroriste impuissant. »
(Fulgurances)

« Un mauvais écrivain se reconnaît quand il écrit pour gagner de l'argent. »
(Je rends heureux)

« Quand j'écris, je caresse la page de la main, comme la peau d'une femme. C'est le papier blanc de ma sensualité. »
(Fulgurances)

« Quand le vent est bon, je flaire un lieu commun à cent mètres, j'ai des moyens d'écrivain intacts, plus forts même que jadis,

j'ai des chefs-d'œuvre en réserve, et une parfaite conscience de ma supériorité intellectuelle que j'étale volontiers pour énerver autrui – ou plutôt ce qui chez les autres relève de l'esprit bourgeois du répugnant étalage de sa modestie. »
(« Journal intime », *L'Éventail,* septembre-octobre 1987)

Édition

« Il n'y a pas de différence notable entre tel grand éditeur à pignon sur rue et Félix Potin (1) – à ceci près que les petits pois y sont souvent de meilleure qualité chez ce dernier que les livres chez le premier. Le livre est à la lecture ce que le cadre est au tableau. L'important, c'est la lecture. »
(*Le Figaro,* avril 1993, puis *Le Refus ou la Leçon des ténèbres*)

Éducation

« On n'éduque plus, on vend. C'est la France du fric contre la France du savoir. Pas étonnant que les jeunes soient paumés, ou décérébrés. Encore qu'ils ne le sont pas tous. Il ne s'agit pas de les pénaliser au départ, de leur imposer un casier judiciaire d'études, il leur faut des concours de plus en plus difficiles, à l'arrivée, une sélection draconienne. »
(Carnets impudiques)

Égalitarisme

« Ô égalitarisme abject des écoles ! Pour peu que vous sortiez la tête, on vous la coupe et il ne vous reste plus que le tronc pour pleurer. »
(Bréviaire pour une jeunesse déracinée)

---

(1) Félix Potin est une enseigne française de distribution créée par l'épicier Félix Potin au milieu de XIXe siècle et qui perdura jusqu'en 1995.

Elkabbach (Jean-Pierre)

« Appartient à jamais à la galerie des glaces de la comédie française… Chien policier de la pensée unique… Elkabbach, lèche-toi et marche ! »

(Les Puissances du mal)

Enfance

« On a beau jeu de se réfugier dans l'enfance, quand on commence à mal vieillir. »

(Bréviaire pour une jeunesse déracinée)

Engagement

« Je ne suis pas un sparadrap. Je n'ai jamais adhéré à rien. »

(Fulgurances)

Ennui

« Je ne peux rien faire plus de trois ans, une revue, un journal, une maison d'édition, ou coucher avec la même femme. Après je m'ennuie. Que voulez-vous, je comprends vite. »

(Fulgurances)

Erreur

« Ce qui rend diaboliquement incorrigible, c'est l'imagination débridée de l'erreur. »

(Bréviaire pour une jeunesse déracinée)

Esprit

« En quête de tant de vérités pétillantes, j'ai fêté sans fin mon esprit, en faisant sauter les choses comme des bouchons de champagne. »

(Bréviaire pour une jeunesse déracinée)

État

« Notre État, c'est l'État avancé, mais comme du camembert. C'est l'État qui n'est plus dans l'État : l'État nouveau, c'est l'état de décomposition. »
(Fulgurances)

Éternité

« Ô solitudes enchantées ! Ma force d'oubli se déverse souvent en un havre de grâce, un vert paradis où le temps se gonfle, reprenant sa capillarité perdue, sa subjectivité, et ce rêve habité de réel. Elle est partie. Quoi ? L'Éternité. La voici retrouvée. »
(Bréviaire pour une jeunesse déracinée)

Europe

« Nous n'avons plus la moindre idée de la paix, cet idéal grandiose pour les nations, nous la mesurons en termes étriqués de sécurité, et vénaux, de marché. Après la guerre de 39-45, on n'a pas voulu refaire l'Europe – cathédrale de mains et de douleurs debout sur ses ruines – parce qu'on avait trop peur, à voir ses murs à demi effondrés, que la mèche qui y brûlait la fît encore éclater. On n'a pas voulu de cette Europe transfigurée. On a fondé le marché commun. »
(Bréviaire pour une jeunesse déracinée)

« La chrétienté a fait l'Europe. La chrétienté est morte ! L'Europe va crever, quoi de plus naturel ? »
(Bréviaire pour une jeunesse déracinée)

Expérience

« L'expérience, ça ne sert qu'aux autres, nul n'est censé l'ignorer. »
(Bréviaire pour une jeunesse déracinée)

Faim

« Nos cerveaux ne commandent plus notre faim ; nous avons délégué au ventre de l'économie le soin de déterminer nos ultimes boulimies. Or, toute l'Histoire le prouve, un soldat bien nourri est toujours vaincu par un soldat qui a faim. »
(Bréviaire pour une jeunesse déracinée)

« Il nous faut réinventer une famine. Un sursaut de famine spirituelle, un vaste cri de l'estomac noué, voici ce dont nous avons besoin. Sinon comment se battre quand on a le ventre repu ? »
(Bréviaire pour une jeunesse déracinée)

« Quand viendra votre tour de souffler la dernière bougie de votre siècle, jeunes gens, je vous souhaite d'être tenaillés par une terrible faim… Pas la faim dans le monde : la faim de l'esprit, la faim de liberté, et la faim de l'amour, dont l'urgence ne saurait être remise aux lendemains de ce que l'on peut faire le jour même. »
(Bréviaire pour une jeunesse déracinée)

Familles

« Désormais, il s'agit de tout réinventer, nos patries et nos pères, nos matries et nos mères. De nous refaire des filiations et des familles, de retrouver notre enfance perdue… »
(Bréviaire pour une jeunesse déracinée)

Femme

« Le corps de la femme, c'est le téléphone de l'âme. »
(entretien avec Thierry Ardisson, dans l'émission de télévision « Toute la ville en parle », document INA)

« J'ai tout appris des femmes – pas d'elles, à cause d'elles. »
(Fulgurances)

« Les femmes que nous avons aimées gisent en notre mémoire comme des noyés au fond des fleuves. »
(Bréviaire pour une jeunesse déracinée)

« Les femmes, douces mygales tissant sans relâche l'étoffe de mes rêves... »
(Fulgurances)

« J'aime moins les femmes. Ce qui me tente, aujourd'hui, c'est l'ascèse, la solitude, presque la sainteté. Un grand pécheur doit beaucoup expier. »
(Fulgurances)

« Évangile nocturne : j'aime les femmes comme moi-même. »
(Fulgurances)

Foi

« Il en est de la foi comme de l'enfance : elle en vient et y retourne. Qui n'a pas cru entre cinq et onze ans ne saura plus après ce qu'est croire. »
(Bréviaire pour une jeunesse déracinée)

« Je n'ai jamais perdu la foi : je l'avais effacée par distraction, comme on efface une bande de magnétophone. »
(Fulgurances)

« Je prie tous les soirs et tous les matins, sauf quand j'oublie, ce qui m'arrive presque tous les soirs et presque tous les matins. »
(Fulgurances)

Formule

« S'il existait une Sacem de la formule, je serais milliardaire. »
(« Journal intime », *L'Éventail,* septembre-octobre 1987)

Français

« "Les Français sont des veaux." » Si de Gaulle avait raison, quel emploi leur trouver, sinon celui qui les prépare à l'abattoir ? »
(Fulgurances)

France

« La France, c'est ma nostalgie, que dis-je, mon folklore du grand âge classique, racinien et moliéresque. »
(Les Puissances du mal)

« J'aime la France, je n'y peux rien, je suis l'une de ses abeilles. Je préfère la France, mon miel, à toute autre chose au monde. J'aime la France, donc j'ai raison. »
(Fulgurances)

« Avant-hier, mourir pour la France, quoi de plus naturel pour nos familles ! Quand les meilleurs de leurs fils tombaient en pleine adolescence éblouie, elles en tiraient une légitime fierté – et s'en croyaient régénérées. »
(Bréviaire pour une jeunesse déracinée)

Front national

« Le Front national est le ferrailleur de nos valeurs traditionnelles. Jean-Marie Le Pen a acheté la statue de Jeanne d'Arc au rabais. »
(entretien avec Jean-Pierre Jumez en 1992, accessible sur Internet)

Fuite

« Quand je fuis, c'est pour me fuir. À la promesse sans cesse renouvelée de l'aube, je n'ai pas de terre promise… »
(Bréviaire pour une jeunesse déracinée)

Futur

« L'élan du futur se trouve dans le passé. »
(entretien avec Jean-Pierre Jumez en 1992, accessible sur Internet)

Gauche

« Sous les gouvernements de gauche, plus je me sens à gauche, plus je passe à l'opposition. »
(Fulgurances)

« Après douze ans d'arrosage de l'intelligentsia par le ministère de la Culture, il est normal que la gauche caviar soit en quête de fournisseur. »
(Fulgurances)

Génération

« J'appartiens à la génération perdue, puisque toutes les générations le sont. Je veux dire que nous nous sommes perdus de vue. »
(Bréviaire pour une jeunesse déracinée)

« Nos enthousiasmes, oiseaux de trop grande envergure pour le Pot-Bouille humaniste français, replient frileusement leurs ailes. Voilà d'où vient qu'à la jeunesse tous les plats du jour paraissent si fades. Pourquoi mourir pour une cause ? Puisqu'on ne sait même pas pourquoi l'on vit. Les générations qui nous suivent sont des générations sacrifiées. On leur a fait perdre le sens du sacrifice. »
(Bréviaire pour une jeunesse déracinée, puis *Fulgurances)*

« Il y a eu rupture des générations littéraires après mai 1968 – un blanc de dix ans, une désertion d'ensemble des jeunes gens les plus prometteurs qui se sont lancés dans l'illusion

gauchiste avant de revenir au rêve littéraire, mais sans avoir assez travaillé. Ils ont publié des livres à la hâte. (...) Bref, ils ont fait, rien de tel pour épater les incultes, dans le journalisme transcendantal. Glucksmann, Le Bris, Dispot, Lévy, et les autres, nous auront tous sortis de ces mixtures étranges où Mitterrand, la gauche, les goulags, les sordides magouilles des politiciens sortent grandis, dans les citations de Hölderlin, de Heidegger, ou Kant, comme des têtes de veau agrémentées de vers de Mallarmé en persil dans les narines : secouez le shaker, vous aurez ce cocktail appelé confusion des valeurs. »
(« Journal intime », *L'Éventail,* septembre-octobre 1987)

Génie

« Le génie est fou : le surdoué est normal. Chez l'un, c'est une question d'âme, chez l'autre, de cerveau. »
(Bréviaire pour une jeunesse déracinée)

« Vaincre, c'est vaincre dans l'infini ; ce qui revient à souffrir dans l'infini. N'importe ! Il faut s'accrocher. Le génie, c'est de durer. »
(Fulgurances)

« Quel génie saura déjouer le plan d'asepsie spirituelle où baigne notre société ? »
(Bréviaire pour une jeunesse déracinée)

Gracq (Julien)

« La gloire de Julien Gracq, c'est l'hommage du vice à la vertu. Pas au génie, pas au talent : à la vertu. »
(Fulgurances)

Grève

« La grève n'est pas une révolte, mais une longue et douloureuse prière. »
(Fulgurances)

« Il était si paresseux qu'on ne s'est jamais aperçu qu'il faisait la grève depuis sa naissance. »
(Fulgurances)

Guerre

« Ce dont nous avons besoin : une guerre sainte. Celle qui nous ferait prendre conscience de notre extrême dénuement, de notre indigence. Car la pauvreté spirituelle mène à l'acceptation de la servitude volontaire. »
(Fulgurances)

« Guerre du Golfe : aux cieux mités d'étoiles de nos songes, le voile de la nuit s'est déchiré sur le spectacle d'un salon du prêt-à-tuer, exposition et ventes d'armes en gros, mais avec des cibles vivantes. Bagdadtelle pour un massacre ! »
(Fulgurances)

« La guerre est le principe de mon action, son musc et sa saveur, l'épice des Indes noires de mon noyau de nuit. »
(Fulgurances)

Guillotine

« Plus de guillotine, mais on nous écartèle à la "Roue de la Fortune". »
(Fulgurances)

Hallier (Jean-Edern)

« Décidément, je ne m'aime pas vu du dehors, ce Jean-Edern Hallier m'irrite, il renforce mes préjugés. »
(Bréviaire pour une jeunesse déracinée)

Handicapés

« Les prolétaires furent les soldats du concept de lutte de classes dans la société industrielle du XIXe siècle, comme les handicapés aujourd'hui, l'armée de cobayes de la recherche technologique. Les uns servaient au travail d'hier, les autres à celui de demain. Ce n'est pas Orwell qui se met en place, mais le *Meilleur des mondes* d'Aldous Huxley, avec ses hommes-bocaux. La pensée sociale ne fonctionne que par charité intéressée. Rien n'est plus cynique que l'importance qu'on attache de nos jours aux diminués physiques, ou même mentaux... »
(« Journal intime », *L'Éventail,* septembre-octobre 1987)

Histoire

« La grande nuit de l'Histoire, la nuit qui est en vous, commence quand celle-ci quitte le champ de l'actualité. Quand viendra l'aube ? »
(Bréviaire pour une jeunesse déracinée)

« L'Histoire n'est qu'une immense leçon des ténèbres récitée en clair-obscur. »
(Fulgurances)

« De quel métal sommes-nous faits ? De quel bronze ? L'Histoire ne serait-elle qu'un immense accident de travail, où chaque homme serait indéfiniment voué à se jeter du haut d'une cuve

pour se fondre dans l'anonymat des masses en fusion lentement refroidie ? Le vrai feu qui nous dévore, il est intérieur. »
(Bréviaire pour une jeunesse déracinée)

« Aujourd'hui la politique est obèse, et l'Histoire, cette louve basse, efflanquée, n'a plus que des grossesses nerveuses. »
(Chaque matin qui se lève est une leçon de courage)

« L'hypocrisie n'est qu'une concession à l'opinion elle-même. Une opinion qui se retournera d'autant plus violemment que l'Histoire aura déjugé ceux qui la flattent. »
(Bréviaire pour une jeunesse déracinée)

« La seule vraie question est de savoir si l'homme de la politique veut encore affronter l'Histoire. Or il ne le veut pas... À vous, jeunes gens, d'y rêver à sa place. »
(Bréviaire pour une jeunesse déracinée)

Homme

« L'espèce humaine est ratée. Loupé grandiose ! Il nous reste à faire avec ce que nous avons. Comptons sur nos propres forces. Ou plutôt sur les vôtres, jeunes gens. Les adultes ne peuvent plus rien pour vous. D'une démission, d'une lâcheté à l'autre, ils ont abdiqué. Plus dramatiquement, ils ont passé un marché inavouable. Ils vous ont déjà livrés à l'ennemi. »
(Bréviaire pour une jeunesse déracinée)

« L'homme moderne ne descend pas du singe, il en dégringole. »
(Fulgurances)

« Quand les hommes n'ont plus d'idées, il faut toujours attaquer l'homme. »
(Fulgurances)

« L'homme occidental reste l'âne scolastique de Buridan, écartelé entre le seau d'eau et la botte de paille : pas de modèle de société, il peut tout choisir, donc rien. »
(Bréviaire pour une jeunesse déracinée)

« En tout être supérieur se conjuguent trois figures, trois pulsions contradictoires : Faust, Don Juan et Don Quichotte. »
(Fulgurances)

Honneur

« L'honneur ne se sacrifie jamais, on lui sacrifie tout, jusqu'à la vie elle-même. »
(Bréviaire pour une jeunesse déracinée)

Hôtel

« Les grands hôtels, ce sont des croisières immobiles en ces cabines dont le luxe banal se compose d'objets dont chacun semble porter la pancarte où est marqué son prix – et où vous êtes le seul à savoir ce que vous payez pour que cette vie devienne sans prix.

Des cabinets, peut-être, des antichambres mystérieuses, surtout, où vous êtes déjà débarrassé de votre environnement propre – votre mobilier à vous – déjà déshabillé pour le grand départ, au-dessus de la foule immense, ou pour reprendre Valéry Larbaud : "... Tu n'as plus qu'un pas à faire, et te voici dans le domaine des invisibles." »
(Carnets impudiques)

Huguenin (Jean-René, 1936-1962)

« J'aimais Jean-René Huguenin parce qu'il représentait pour moi l'adolescence, la grâce et une sorte de liberté fragile. C'était un garçon délicieux. En classe, il était l'ange, l'ange pour ses

camarades, et j'étais le démon. Nous étions nés tous les deux le même jour. Il avait écrit lui-même dans son journal : "Jean-Edern, né le même jour que moi. L'un de nous deux doit disparaître. Il le sait, comme je le sais moi-même." Il se trouve qu'il est mort. J'aurais pu mourir aussi. Il se trouve que son roman *La Côte sauvage,* il se trouve que son journal, se passent essentiellement dans cette propriété où je suis revenu après la guerre, ce grand vaisseau de granit au bout de la Bretagne, entouré, ceint d'herbes et là, nous avons vécu une enfance merveilleuse (...) (Jean-René Huguenin) a été mon plus grand et mon dernier ami. »
(entretien avec Pierre de Boisdeffre, émission « Le Fond et la forme », Office de radiodiffusion-télévision française, 19 février 1973)

Humour

« Croyez bien que le romancier a un certain humour. Je considère que l'humour est une arme politique. »
(entretien avec Pierre de Boisdeffre, émission « Le Fond et la forme », Office de radiodiffusion-télévision française, 19 février 1973)

Idée

« Il est désolant de voir que les idées ne cheminent plus. »
(« L'homme en question. Jean-Edern Hallier », émission de Pierre-André Boutang, réalisée par Jean-Daniel Verhaeghe et Jean Baronnet, diffusée sur France 3, le 9 juillet 1978)

« Toute idée nouvelle est accueillie par un silence gêné, ou des huées. C'est ainsi même qu'on la reconnaît, elle est étouffée, mais elle fait son chemin, jusqu'à ressortir quelques années plus tard aseptisée. »
(« Journal intime », *L'Éventail,* septembre-octobre 1987)

« L'idée est l'ennemie de la pensée. »
(Fulgurances)

Idéologie

« L'idéologie, c'est la béquille de la laideur. »
(Le Refus ou la Leçon des ténèbres)

Imaginaire

« Je n'ai jamais cessé de faire le nabab, jusqu'à ce qu'au fil du temps, la solitude et la pauvreté me condamnent aux seules fêtes où je sois encore invité comme mon propre convive : les féeries nocturnes des danses de l'intelligence, les orgies de mon imaginaire. »
(Fulgurances)

« Ma table : la planche à cartes de mon imaginaire. »
(Carnets impudiques)

Imbécillité

« Être imprévisible, c'est le pire des crimes contre l'imbécillité. »
(Bréviaires pour une jeunesse déracinée)

« Les raccourcis fulgurants de l'intelligence, ou le simple bon sens, qui est la chose au monde la moins bien partagée, n'ont aucune prise sur les imbéciles. Ils glissent dessus comme sur une carapace métallique. D'ailleurs, il leur arrive de ne pas avoir toujours tort : une horloge arrêtée a raison deux fois par vingt-quatre heures. »
(Fulgurances)

Information

« Plus la violence de l'Histoire se renforce, plus les mots dérapent, comme sous l'effet de sa force aveugle. Se tenir informé n'est pas entretenir sa clairvoyance, mais son voyeurisme – un clair voyeurisme à l'échelle du monde satellisé. »
(Bréviaire pour une jeunesse déracinée)

Intelligence

« L'intelligence est la vertu d'une classe, à savoir la bourgeoisie qui détermine elle-même (de) ses propres vertus. C'est un peu comme si on proposait un jeu dont on connaît toutes les clés. Pour moi, l'intelligence n'a jamais été une vertu fondamentale, et d'abord, je ne crois pas aux vertus. »
(entretien avec Pierre de Boisdeffre, émission « Le Fond et la forme », Office de radiodiffusion-télévision française, 19 février 1973)

« Comment ne pas être un incompris quand on est le premier à comprendre ? »
(Fulgurances)

« Malheur à mon intelligence, si elle n'est que l'expression de ma faiblesse ! »
(Chaque matin qui se lève est une leçon de courage)

Introspection

« Ce qui éclaire ne vous éclaire pas sur vous-même. »
(Fulgurances)

« À me voir cet air si heureux, il y a de quoi rendre un âne fou. Pourtant que l'âne se rassure, il n'est point de matin, comme celui-ci, où je ne me sente le cœur serré, creusé par une angoisse que seul l'alcool fait disparaître très passagèrement,

habité par le sentiment d'un destin raté. Qui me déchire à tous les instants, réduit à néant mon ambition – vraie, pas sociale –, qui est immense, me donne l'impression d'une vie monstrueusement inutile, et pour avoir choisi la littérature, d'être le champion du monde toutes catégories d'une erreur de parcours. »
(« Journal intime », *L'Éventail,* septembre-octobre 1987)

« Quand je parle de moi, c'est de vous tous dont je parle... »
(émission « Tribunal des flagrants délires », diffusée sur France Inter le 9 février 1981)

Inutile

« L'inutile, moi je l'appelle le nécessaire. »
(Fulgurances)

Jardin

« Le jardin, c'est la vie. Le jardin, c'est l'odorante, somptueuse fécondation de l'univers. »
(Le Premier qui dort réveille l'autre)

Jeunesse

« Jeunes gens, crachez à la gueule de ces adultes aux vestons croisés sur des tailles épaisses, et à l'autosuffisance du bonheur. »
(Bréviaire pour une jeunesse déracinée)

« Quelle est ta cause, jeune homme ? La seule cause qui vaille qu'on meure pour elle, c'est la cause de soi. Et de cette cause découlent toutes les autres. »
(Bréviaire pour une jeunesse déracinée)

« Nos jeunes Français qui ont grandi dans l'idéologie nationale et européenne – pardon, sous la protection tutélaire de l'Amérique – ne différent en rien des générations qui les ont précédés. Ils ont un idéal de justice, de liberté, bien sûr, mais cet idéal sincère est beaucoup moins fort que celui des jeunes gens du milieu du xxe siècle, qui avaient par-dessus tout l'esprit d'aventure, l'ambition de sortir – grâce à une guerre, une révolution, un voyage, une exploration, une aventure en somme – de ces incertitudes, de cette obscurité, et de la tristesse où croissent et se multiplient les jeunes de toutes nations à chaque époque historique. »
(Bréviaire pour une jeunesse déracinée)

« Tous soldats inconnus de la guerre du temps, les jeunes gens ne sont pas encore partis qu'ils sont déjà arrivés. Je veux dire : revenus de tout. Car la terre s'est rapetissée… Au point que le voyage autour de sa propre chambre recèle une part d'infini vers quoi les autres pérégrinations ne débouchent plus. On ne part plus, on s'évacue de soi-même. »
(Bréviaire pour une jeunesse déracinée)

« L'époque pue la sous-culture… Elle nous aura tous pasteurisés ! Âmes vaincues, flottantes, sur notre radeau européen, habitués d'avance à l'imminence du désastre, recommencer à avoir vingt ans, aujourd'hui, c'est essayer de nous échapper du cauchemar de cette rivière enchantée, dont les méandres ne nous conduisent pas vers des estuaires inconnus. »
(Bréviaire pour une jeunesse déracinée)

« Maintenant que ma jeunesse commence à s'en aller, mais pendant qu'il m'en reste, et qu'elle parle encore, et qu'elle comprend mes vingt ans, je veux lui donner mon âge mûr en otage. »
(Bréviaire pour une jeunesse déracinée)

« À vingt ans, on a l'avenir derrière soi. Le plafond est bouché, grisâtre. Infâme purée de pois que celle de nos incertitudes tâtonnantes. Au loin, de lugubres cornes de brume. Et puis ce malaise de vivre dure, s'attarde, jamais l'on ne peut vomir, que soi-même. On a le roulis moral, le teint fleuri… Bref, on est empêché, bridé, on est en rodage du métier d'homme… »
(Bréviaire pour une jeunesse déracinée)

« Condamné à un formidable chômage de l'imaginaire, à vingt ans, on a la tête de l'emploi du va-nu-pieds en jeans, cheveux raides, triste mine… On rempile dans les écoles. On devient étudiant. Or l'étudiant de la fin du XXe siècle, c'est la lie de la terre. »
(Bréviaire pour une jeunesse déracinée)

« Ma jeunesse a été une longue maladie, une anémie pernicieuse de l'âme, dont j'ai passé quinze ans à m'en remettre. »
(Bréviaire pour une jeunesse déracinée)

« Quelle est cette flamme d'adolescence qui me brûle et ne veut toujours pas s'éteindre ? Même si à mon âge, comme s'écriait Victor Hugo, je suis passé de l'autre côté de la pente du rêve… »
(Fulgurances)

« On n'a pas tous les jours vingt ans, me direz-vous. Mais en 1917, 1930, 1939, il était plus facile de s'en sortir en comptant sur ses propres forces qu'en 1981. On mettait un océan entre ses parents et soi. D'un coup de talon dans le sol natal, avec un peu de cette glèbe à jamais collée à la semelle, on bondissait vers l'avenir. À vingt ans on ressemblait à l'univers : on était en continuelle expansion. Une galaxie de chair ! Un cosmos d'intuitions gazeuses ! »
(Bréviaire pour une jeunesse déracinée)

« Pour avoir été trop précoce, j'ai pris un retard de vingt ans sur les autres pour en arriver là où la plupart en sont à trente ans ; si bien que ce sont eux qui ont vieilli et que je fais, selon les jours, dix ou quinze ans de moins que mon âge réel. Bref, je me suis épanoui comme le papillon, à l'envers. Lourde chrysalide de songes clos d'une enfance pétrifiée à l'origine, puis chenille, harassement militant des causes perdues, et ailé enfin, redevenu l'artiste que je n'aurais jamais dû cesser d'être…

J'ai conservé cette jeunesse aussi parce que je fume comme un sapeur, je bois comme un trou, qu'il m'arrive de me défoncer sauvagement, que la vie est tous les jours une fête, et que je m'interdis le moindre sport – à part le sport de lit – et qu'enfin et surtout, malgré mes échecs innombrables, je ne suis pas aigri, je vais au fond pour mieux rebondir, j'ai toujours envie de tout, je sais m'enthousiasmer. »
(« Journal intime », *L'Éventail,* septembre-octobre 1987)

« Je suis passé du stade d'éternel adolescent qui pouvait faire tout et n'importe quoi à celui de jeune vieillard. »
(Fulgurances)

Journal

« J'ai toujours considéré qu'un journal, quelle que soit son opinion, ne devait pas être dirigé par des journalistes, mais d'abord par des écrivains. C'est en tout cas la seule chance pour la presse écrite de pouvoir lutter contre l'audiovisuel, c'est-à-dire de redonner à la pensée la possibilité d'être un événement. »
(propos recueillis dans un film d'actualité réalisé pour la télévision à l'occasion de la naissance du *Figaro Magazine,* le 7 octobre 1978, archive de l'Institut national de l'audiovisuel)

Journalisme

« L'esprit collabo, c'est la tare morale du journalisme. »
(Fulgurances)

Justice

« Je suis un passionné, un vivant... Ma vie est une passion... Je ne suis pas un intellectuel à proprement parler mais un combattant... Je ne suis pas un romancier à proprement parler, mais j'écris une littérature politique qui tient autant de la littérature que de la politique. Je me bats sur différents fronts, sur le front de la justice, de la justice de classe, des prisonniers. Pour moi, parler d'extrême gauche n'a pas tellement d'importance. Il s'agit de nouvelle politique, d'un combat à gauche et effectivement à l'extrême gauche pour la justice sociale. »
(entretien avec Pierre de Boisdeffre, émission « Le Fond et la forme », Office de radiodiffusion-télévision française, 19 février 1973)

Kouchner (Bernard)

« Bernard Kouchner n'est qu'un ventilateur de charité. »
(Fulgurances)

Lénine

« Lénine, c'est le Jésus de la cochonnaille humaine. »
(Fulgurances)

Libéralisme

« Plus égale moins, moins que rien : telle est la finalité du libéralisme. »
(Fulgurances)

Liberté

« Notre liberté moderne, c'est la liberté d'indifférence, si tristement assortie avec le nivellement des valeurs – ou avec la résurrection grotesque, de simulacre pompeux de valeurs mortes ou périmées. »
(Bréviaire pour une jeunesse déracinée)

« Rester un homme libre, irrévocablement, aristocratique, revient à mener une vie de clandestin supérieur. Avancer masqué, pour reprendre la devise de Descartes. »
(Fulgurances)

Librairie

« Les rayonnages des librairies, c'est la foire aux vanités des bourgeois gentilhommes qui font de la prose sans le savoir – et en plus croient savoir la prose qu'ils font. Je me suis toujours demandé comment les gens pouvaient écrire aussi abominablement mal. L'imprécision, le caractère laborieusement approximatif et nébuleux de ce que la plupart mettent sur la page m'a toujours plongé dans une stupeur dégoûtée. J'éprouve pour ces gens une compassion amusée. Plus la littérature leur échappe, plus ils en bavent – et plus on leur demande d'être simples, plus ils deviennent compliqués. C'est à croire que leur cerveau est barbouillé comme un estomac en pleine indigestion. »
(Je rends heureux)

Littérature

« La grandeur de la littérature, c'est de changer le précaire, le fuyant, en mémoire douloureuse. Au bain du temps, c'est un fixateur, une gelée d'éternité ! »
(Bréviaire pour une jeunesse déracinée)

« À l'information qui évacue, glisse, hors de notre champ, se perd dans les méandres de l'oubli, (la littérature) oppose l'information qui reste – et change la masse des signes absurdes, discontinus, ou fusées incompréhensibles de détresse, de joie, en une ordonnance intemporelle de la vie. »
(Bréviaire pour une jeunesse déracinée)

« La littérature, c'est la musique. Moins les mots ont de sens et plus ils ont de mélodie, plus la littérature est belle… Je suis une sorte de musicien. La musique, c'est les mots, c'est l'émotion. »
(entretien filmé avec André Halimi, 17 novembre 1988, document Institut national de l'audiovisuel)

« Comme Pasteur, je me suis inoculé la rage pour devenir mon propre cobaye littéraire. »
(Fulgurances)

« Le latino-américanisme en littérature, c'était le bon temps. Après le western-spaghetti, c'était le roman-rastaqouère. »
(« Gabriel García Márquez », *Le Refus ou la Leçon des ténèbres*)

« Tradition Nobel oblige, après *La Peste* de Camus, voici *L'Amour au temps du choléra.* Les épidémies enchantent la Suède. Les Vikings ont besoin de maladies mythiques ; le sida attend son roman-fleuve. »
(« Gabriel García Márquez », *Le Refus ou la Leçon des ténèbres*)

« Elle est terriblement ingrate et lente : la voie de la littérature en ses conquêtes différées. Pour la suivre, il faut aussi en avoir emprunté d'autres, contre tous les moulins à vent. Ne laissez jamais Don Quichotte s'évacuer dans la vie ! Cette colère hagarde, au vain prosélytisme, s'appelle : se mettre hors de soi. »
(Bréviaire pour une jeunesse déracinée)

« Désormais, on ne connaît plus la littérature qu'en dehors du milieu littéraire – des lecteurs, de rares professeurs, des adolescents, des femmes… Combien ? Dix mille ? Cinq mille ? Peu importe. Ils ont toujours été une infime minorité ceux qui goûtaient du théâtre de Racine. Ce qui est grave, ce ne sont pas Sulitzer et les autres. Il y en a toujours eu, il y en aura toujours, mais le pourrissement par le haut – l'absence de rigueur des éditions Gallimard, les traductions fautives de Heidegger ou directement de l'anglais des romans japonais de Mishima, la disparition des directeurs littéraires, des pages de trop d'un Le Clézio, le "trauidu", l'effroyable français rapporté d'un Bianciotti… »
(« Journal intime », *L'Éventail,* septembre-octobre 1987)

« Nabokov, Ungaretti, Pound, Céline, Bataille, Klossowski, Michaux, Hemingway, Gadda, Ponge, Cocteau, Mauriac, Paulhan, Gombrowicz, Jouve, Claudel, je les ai tous connus personnellement, j'ai appris d'eux le meilleur de moi-même.

Ils m'avaient admis dans leur grande famille secrète par filiation.

En revenant à la littérature, après dix d'engagement politique, mais parfaitement armé techniquement, à la différence de ceux de ma génération, je n'ai plus rien retrouvé de ce monde ancien. Comme l'écrivait Rilke, les cieux de mon enfance ont changé, je suis revenu en étranger. Je ne pouvais retomber d'aussi haut, je ne pouvais pactiser non plus. Ma solitude a commencé – avec mes sauts de cavalier, mes contre-pieds, mon imprévisibilité qu'on m'a si souvent reprochée (on ne sait jamais ce qu'il va dire, moi je savais, ce n'est pas spontané, mais toujours calculé), mes coups de billard à trois bandes, ma guérilla culturelle, mes jeux, mes incompréhensibles artifices… »
(« Journal intime », *L'Éventail,* septembre-octobre 1987)

Livre

« Le livre n'est qu'un simple support. Qu'on écrive sur de la pierre ou qu'on rassemble son œuvre dans un dé à coudre informatique, la création littéraire reste la même. »
(*Le Figaro,* avril 1993, puis *Le Refus ou la Leçon des ténèbres*)

Loi

« Les hommes sont toujours égaux, c'est la loi qui est devenue inégale. »
(Fulgurances)

Maîtres

« Tous les maîtres véritables ont toujours eu les valets contre eux. »
(Fulgurances)

Maladie

« La maladie n'existe pas. On ne meurt jamais que de fatigue. »
(Les Puissances du mal)

« La vraie vie, c'est la maladie. »
(Le Premier qui dort réveille l'autre)

Marché

« En France, l'esprit de marché aura-t-il tout dévoré ? À droite un seul idéal, le marché du bien de consommation. À gauche les marchés des idées du bien, le marché du socialisme à visage humain, issu des Lumières et naïvement régénérateur – comme si l'on pouvait attraper les mouches totalitaires avec le vinaigre des bons sentiments. »
(Bréviaire pour une jeunesse déracinée)

Méchanceté

« La grande méchanceté, c'est celle qui dit les choses au nom de la bonté. »
(Fulgurances)

Médias

« Médias : moins il y a de grain à moudre, plus les ailes du moulin tournent vite. »
(Fulgurances)

Mémoire

« Le phare tourne, il est sans mémoire, il passe. Et oubliant, d'un instant l'autre, ce sur quoi il projetait sa lumière la plus crue, il se révèle sans pitié. »
(Bréviaire pour une jeunesse déracinée)

« Ce qui est vieux : un corps. Ce qui est ancien : une mémoire. Telle est la distinction fondamentale. »
(Bréviaire pour une jeunesse déracinée)

« Pas de création sans mémoire : on ne la remplace pas impunément par l'inconscient. »
(Fulgurances)

« Le national, c'est la mémoire de l'individu. »
(émission radiophonique « Panorama – Littérature et Poésie » de Jacques Duchâteau et Annie Woïchekovska, diffusée sur France Culture, le 25 octobre 1990)

« Ressusciter, c'est d'abord se souvenir. »
(Fulgurances)

« Comme le héros de *1984* d'Orwell, je trinque à la mémoire (...), alors que les médias et la politique spéculent sur l'oubli et la peur. »
(Fulgurances)

« Si fort que je sois déprimé, je finis toujours par oublier ce dont je souffre. »
(Fulgurances)

Métaphore

« Mes mets, ce sont des métaphores intellectuelles. »
(Bréviaire pour une jeunesse déracinée)

Mitterrand (François, 1916-1996)

« Mitterrand ça commence à vieillir beaucoup, beaucoup... Un aller simple à Latche, ce serait la meilleure chose qui puisse lui arriver... »
(dans une émission de télévision animée par Thierry Ardisson et diffusée le 12 octobre 1991)

« Le vent de l'Histoire, furieux, a arraché le drapeau français du cercueil de François Mitterrand. Le vent souffle où il veut – et ce que veut le vent, l'Histoire le veut. L'Histoire balaiera François Mitterrand, ce manteau d'Arlequin d'impostures et d'opportunismes successifs. »
(Journal d'outre-tombe, 12 janvier 1996)

« L'enterrement télévisuel du président de la République a largement dépassé les funérailles nationales de Victor Hugo, événement insignifiant du XIXe siècle. La mort de De Gaulle, n'en parlons pas. Ce n'était rien. »
(Journal d'outre-tombe, 12 janvier 1996)

« Ainsi avais-je été le premier à raconter le passé cagoulard de Mitterrand. C'était le fascisme en pantoufles qui collait à son état civil. (...) Il montrait que ce dernier n'avait jamais été résistant – et le démontage de ses fausses évasions, et blessures dans le dos, rajoutait une touche de comique piteux à ce portrait de mythomane. Rappelons donc cette période tellement controversée de l'Histoire de France – et qui ne viendra vraiment au jour que lorsque les archives de Vichy seront enfin exhumées. Mitterrand aura bien essayé de faire disparaître les plus compromettantes mais les taches indélébiles réapparaissaient toujours sur les tissus de l'Histoire les mieux nettoyés. La traversée mitterrandienne de ces années est pour le moins déshonorante. Plus gravement, elle est celle de la France tout entière qui l'a élu et protégé en raison de ce déshonneur inavouable qu'ils portaient en eux. C'est celui du conformisme d'un peuple traversé par l'esprit de défaite. L'antisémitisme, c'était le conformisme français des années 1940. (...) Bref, Mitterrand était un homme sans qualité, ordinaire. Il n'a été grandi que par notre propre médiocrité. »
(Les Puissances du mal)

Monde (Vieux)

« La vérité, c'est qu'élevé pour devenir le serviteur du vieux monde, je ne l'ai plus retrouvé. »
(Fulgurances)

Monstre

« Il faut toujours être un monstre. Au sens étymologique : monstrator, celui qui montre. »
(Fulgurances)

Morale

« L'homme moral n'est jamais moraliste et le moraliste n'est jamais moral ».
(Fulgurances)

« Si notre société est sans principe, elle a au moins une règle, pas vu, pas pris ! »
(« Journal intime », *L'Éventail,* septembre-octobre 1987, puis *Fulgurances,* « Pas vu, pas pris : ainsi fonctionne la dernière morale bourgeoise. »)

Mort

« Réussir jeune est terrible : il vous en coûte souvent la vie. Seule la mort est respectable. Y courir tout droit, les yeux ouverts, force la considération des adultes – Et des managers, des trompettes fêlées de la renommée. »
(Bréviaire pour une jeunesse déracinée)

« Il ne fait pas bon d'échouer à l'âge mûr : on ne nous redonne plus notre chance. Ne mourez pas, non plus. Nul ne vous plaindra, puisque vous laissez la place à d'autres. Alors qu'enfant, ou vieillard – c'est-à-dire un enfant d'une frivolité infinie –, on verse de chaudes larmes sur votre départ. »
(Bréviaire pour une jeunesse déracinée)

« Ce n'est pas parce qu'on n'a pas de talent pour vivre qu'on en a forcément pour mourir. »
(Fulgurances)

« La mort est un secret qui toujours échappe aux familles. »
(Le Premier qui dort réveille l'autre)

« Une question qui devrait tous nous occuper : y a-t-il une vie avant la mort. »
(« Journal intime », *L'Éventail,* septembre-octobre 1987)

« La mort n'est pas une délivrance pour les prophètes, mais l'incidence ultime de leur servitude. »
(Fulgurances)

« (En Occident), on ne meurt plus de faim entre une tarte aux fraises, une soirée sur l'A2 (1), une maîtresse-expresse, et un jean de Lévi's, en notre danse funèbre, mais de déréliction. »
(Bréviaire pour une jeunesse déracinée)

Musique

« On reconnaît les individus à leurs musiques. Il y a ceux qui privilégient le rythme à la mélodie, et ceux qui privilégient la mélodie au rythme. Dans le rythme, il y a le retour aux sociétés primitives, les peurs ancestrales, le besoin de se rassurer, de se serrer les uns contre les autres quand on a froid. (...) La mélodie, en revanche, est ordre et beauté, luxe, calme et volupté, c'est-à-dire civilisation. Elle éduque l'homme, lui apprend à redevenir seul sans peur – l'homme enfin... »
(« Journal intime », *L'Éventail,* septembre-octobre 1987)

Nègre

« Si jamais je pouvais trouver un nègre qui avait le talent de Jean-Edern Hallier, eh bien, je serais bien content, je pourrais prendre ma retraite. Malheureusement, je ne l'ai pas encore trouvé. J'ai beau regarder des émissions comme "Apostrophes"... c'est vraiment "Il est minuit Docteur Schweitzer", c'est la négritude absolue. C'est Lambaréné (2), c'est le monde des profondeurs, de la brousse, etc., plus personne n'écrit ses livres. Moi

(1) La chaîne de télévision Antenne 2, désormais France 2.

(2) Lambaréné est une ville du Gabon. Son nom provient du dialecte galoa et signifie « Nous voulons l'essayer, essayons. » Lambaréné est surtout connue pour l'hôpital Albert Schweitzer, créé en 1913 par le docteur Albert Schweitzer, prix Nobel de la paix en 1952.

je n'ai jamais trouvé quelqu'un pour écrire mes livres. C'est mon drame. »
(entretien filmé avec André Halimi, document Institut national de l'audiovisuel, 17 novembre 1988)

Noir

« Qu'est-ce que le noir ? Le noir est pire que la nuit. Le noir n'est pas une couleur : il ne s'écaille ni ne se gratte avec l'ongle. Le noir est épais, intraversable. Que l'on avance ou recule, c'est toujours le même noir. À droite, à gauche, aussi. En remuant dans le noir, les doigts s'engluent dedans. Le noir est une peau aveugle, collée à l'œil. »
(Le Premier qui dort réveille l'autre)

« Le noir est la pire punition de l'enfant. »
(Le Premier qui dort réveille l'autre)

Nuit

« La nuit, c'est le contraire du noir, la nuit est naturelle, le noir est anormal. L'une nous donne une vue féline, étincelante et verte ; dans l'ombre, elle décuple les sens. L'autre les mutile. Le noir se courbe et creuse. Il peut même nous arracher les prunelles. »
(Le Premier qui dort réveille l'autre)

Occident

« Hélas, maintenant que le verbe s'est fait chair, comme il est dit dans les Évangiles, le voici qui pourrit sur pied. Ô viandes politiques et bas morceaux culturels avariés ! Au redoux du printemps, nous assistons à la soudaine putréfaction occidentale ! Avec le soleil c'est la décomposition brutale dégageant

d'épouvantables odeurs, c'est le retour du mammouth au supermarché de la paix ! »
(Bréviaire pour une jeunesse déracinée)

Opéra

« L'opéra de la Bastille, qu'en faire ? Première prison privatisée... On la prendra au 14 juillet. »
(« Journal intime », *L'Éventail,* septembre-octobre 1987)

Paradis

« Le paradis, c'est le ventre maternel sans la menace de naître. »
(Fulgurances)

Paris

« Paris, capitale d'un petit pays blotti dans la mélancolie de sa grandeur depuis la Deuxième Guerre mondiale... »
(Le Premier qui dort réveille l'autre)

Passion

« À onze ans on est toujours petit chef, grand seigneur, chevalier sans peur et sans reproche – et, plus que tout, celui qui tyrannise, l'enfant tyran. Mais au fond de l'âme enfantine, des Croisades aux ruines de Berlin en 45, il y a toujours cette part irréductible à tout le reste, qui s'appelle la passion. »
(Bréviaire pour une jeunesse déracinée)

« La raison connaît des démentis, la passion n'éprouve que des blessures. »
(Fulgurances)

« On se passionne, puis on se lasse… Et à chaque guerre perdue, c'est de guerre lasse. »
(Bréviaire pour une jeunesse déracinée)

Patrie

« Plus Voltaire était antifrançais, plus Louis XV gagnait ses batailles. L'antipatrie, c'est l'ombre portée de la grandeur de la patrie. »
(Bréviaire pour une jeunesse déracinée)

Pauvreté

« En donnant, les pauvres se volent eux-mêmes. »
(Fulgurances)

Peinture

« C'est l'art abstrait que j'aime, d'un réalisme absolu. Supposez que chaque éclair soit un coup de pinceau, quel tableau ferait une nuit d'orage ? »
(« Journal intime », *L'Éventail,* septembre-octobre 1987)

Pensée

« Aujourd'hui, les penseurs sont fatigués, mais la pensée est infatigable. »
(Fulgurances)

« La pensée n'a cessé de descendre depuis les origines. Dieu le père s'adresse à la tête, Jésus le fils au cœur, Marx au ventre, et Freud au sexe. »
(« Journal intime », *L'Éventail,* septembre-octobre 1987)

« Penser, oui, mais comme on sent, on s'imprègne, on laisse infuser en soi l'odeur du réel ! »
(Fulgurances)

« Le plus court chemin d'un point à un autre, c'est la pensée directe. »
(Fulgurances)

« J'ai les épaules larges, le ventre plat (ou presque) et une grande force physique, celle d'un bûcheron, ou d'un déménageur – de meubles, ou de poids lourds de la pensée… »
(« Journal intime », *L'Éventail,* septembre-octobre 1987)

Pensée unique

« Le propre de la pensée étant de s'opposer à elle-même, il était inévitable que la pensée unique en soit la caricature, et s'oppose, elle aussi, à la pensée unique. Ainsi le conformiste prend-il à bon compte le masque de l'anticonformisme. »
(*Journal d'outre-tombe,* 4 juin 1995)

Pétain (Philippe)

« Je ne cherche pas à réhabiliter Pétain, mais celui qui a trouvé la formule "travail, famille, patrie" était un conseiller en marketing autrement plus fort que Séguéla. »
(entretien avec Jean-Pierre Jumez en 1992, accessible sur Internet)

Peuple

« J'aime vraiment le peuple et il me le rend bien. »
(Fulgurances)

« Les peuples sont capables de marcher pieds nus tels les soldats de l'An II, avec un grand dessein – à commencer par une vocation internationale de la liberté, incarner la France de 1789 qui invente ces mots : la liberté ou la mort. Quand ce dessein – que dis-je, cette mission historique – se révèle n'avoir été que le clientélisme électoral d'un parti, c'est que nous n'avons déjà plus rien à attendre de lui – que sa raison d'être vacille déjà. »
(Bréviaire pour une jeunesse déracinée)

« Tout peuple de quelque envergure qui adapte une idéologie à ses traditions l'assimile et la dénature, l'infléchit dans le sens de sa destinée nationale, la fausse à son avantage, au point de rendre méconnaissable son génie. »
(Fulgurances)

Peur

« Je n'ai vraiment peur que de ceux qui ont peur. »
(« Journal intime », *L'Éventail,* septembre-octobre 1987, puis *Fulgurances,* « Je n'ai peur de rien, sauf de la peur des autres. »)

« J'oscille entre un orgueil qui m'a coûté trop cher, et une peur qui ne me rapportera rien. »
(Fulgurances)

Philosophes (nouveaux)

« Les nouveaux philosophes réussirent ce prodige : que chacun des incapables les crédite de ce qu'il n'a pas. »
(« Lettre ouverte à la "Literaturnaya Gazeta" », *Le Figaro,* 10 décembre 1977)

Pitié

« La pitié n'est rien – quand elle ne déclenche pas l'instinct de liberté. »
(Bréviaire pour une jeunesse déracinée)

Poésie

« Vingt ans, c'est l'âge des hautes mathématiques, de l'algèbre, de la quintessence de la pensée abstraite, et de la poésie. »
(Bréviaire pour une jeunesse déracinée)

Polémique

« La polémique est une guerre de l'esprit. Une guerre qu'on fait avec des mots. »
(Fulgurances)

« En rébellion contre le conformisme ambiant et le terrorisme intellectuel, j'ai voulu rendre à la polémique – de *polemos* en grec ancien, guerre de l'esprit – la place qui lui revient, la plus haute en littérature. »
(La Force d'âme)

Politicien

« On a parlé du “silence des intellectuels”, on n'a jamais dénoncé le bavardage des politiciens. »
(Fulgurances)

« Je ne méprise pas les politiciens, leur indigence m'amuse. »
(Bréviaire pour une jeunesse déracinée)

« Les politiciens sont de pauvres types, un éclat de rire les balaye tous. »
(Fulgurances)

Politique

« La politique (...) est toujours à la remorque. Elle sert de lanterne rouge. »
(Fulgurances)

« Mes positions politiques sont un compromis au jour le jour entre mon tempérament de bon citoyen, celui d'une France des honnêtes gens, et ma vision cruelle de romancier. Je balance entre l'eau bénite et le vitriol. C'est juste une question d'encensoir. »
(Fulgurances)

« Je ne veux pas faire profiter de la haute littérature à la basse politique. »
(Les Puissances du mal)

Pound (Ezra, 1885-1972)

« Pound, c'était comme le Zeus de la littérature. »
(émission de télévision consacrée à Dominique de Roux (1935-1977), réalisée par François Debré et produite par la chaîne Antenne 2, qui la diffusa le 15 juin 1978)

Presse

« La presse est un champignon qui attaque en deux temps. Elle met d'abord en état de faiblesse, puis elle empoisonne. »
(Carnets impudiques)

Principes de l'edernisme

« Vaincre la peur en soi. »

« Choisir toujours le plus simple. »

« Placer l'esthétique au-dessus de la morale. Corollaire : sauver la morale du moralisme. »

« Affronter, pour rendre plus fortes encore les tempêtes essentielles de l'esprit. »

« Être un tueur – et même assassiner la mort. »

« Détruire, avant de reconstruire : le monde est ma table rase. »

« En toute chose, aveugler… Mieux vaut aveugler qu'obscurcir. »

« Avoir l'exactitude ironique de sa propre conscience. »

« Se dire que tout ce qui est important l'est : une découverte scientifique, une pensée neuve, ou un coup de foudre amoureux. »

« Tendre vers un état permanent : l'ivresse… de sensualité, de paysages, d'épuisements (notamment dans le dépassement physique de soi-même), de vitesse, de beauté, de solitude et de foules. »

« Si l'on est beau, s'en montrer digne. »

« Basculer jusqu'à l'idiotie – au sens original, idiosyncrasique. »

« Traquer l'idéalisme en toutes choses. »

« N'imitez que les plus grands. »

« Marcher sur le pied de la lettre avec l'esprit. »

« Ne pas être méchant, mais impitoyable. »

« Ne jamais avouer (si par malheur vous avouez, avouez-le !). »

« Ne jamais oublier de regarder, de temps à autre, son propre cadavre d'adolescent suicidé dans le placard. »

« Principe stratégique : quand on a des visées lointaines, il faut d'abord attaquer au plus près. »

Proches

« Certains êtres très chers deviennent des animaux familiers qu'on ne voit même plus tellement ils le sont. »
(Fulgurances)

Progrès

« Le secret du progrès, c'est qu'au sens propre comme au figuré, il ne progresse pas. Le progrès est un immense poème arachnéen, étendant sa toile sur l'univers. Il n'est pas ce que, naïvement, on croit : une marche en avant. »
(Fulgurances)

Provocation

« Au fond, je mérite une chaire à la Sorbonne, de la provocation considérée comme un des beaux-arts de notre modernité. »
(propos rapportés par Jacques Séguéla dans son livre *Fils de pub*)

Racisme

« Ce n'est pas la couleur de la peau qui importe, mais la couleur de l'âme. »
(Fulgurances)

Reconnaissance

« Il vaut mieux être reconnu par ses fils que par ses pairs. »
(Fulgurances)

« B.-H. Lévy et Finkielkraut ont fait de mon whisky un Canada Dry, mais j'aurais tort de me plaindre d'être pillé ou d'être incompris, quand je ne le suis que trop de quelques-uns, puisque tout indique – même si on se garde bien de prononcer mon nom – que je suis parfaitement suivi… »
(« Journal intime », *L'Éventail,* septembre-octobre 1987)

Réalité

« La réalité n'est qu'un effet de style. »
(Fulgurances)

« Je souffre d'overdose du réel. »
(Fulgurances)

Refus

« La vraie mesure d'un homme, c'est sa capacité à refuser ce que les autres prennent pour désirable. »
(Fulgurances)

Régime

« Ne sont parfaits que les régimes à venir. »
(Fulgurances)

Rêve

« Le rêve, c'est le déchet des choses d'ici-bas. Le rêve, c'est la poubelle de l'esprit. »
(Je rends heureux)

« Un rêve, ça ne s'interprète pas : c'est une régression du réel. Il n'y a pas de symbolique dedans, sauf pour les charlatans. »
(Je rends heureux)

« Un rêve sans meurtre vaut mieux qu'un meurtre sans rêve. »
(Fulgurances)

Révolte

« Une véritable révolte implique d'abord qu'on abatte le professionnel de la révolte. »
(Fulgurances)

« C'est peut-être bien d'avoir été révolté, mais il faut le rester. Rebelle de la naissance à la mort… Hugo avait le sens du refus, et non celui de l'opportunisme. La révolte, on le voit, c'est l'acné juvénile. »
(entretien avec Jean-Pierre Jumez en 1992, accessible sur Internet)

« La dérision est à la révolte ce que la branlette est à l'amour. »
(Fulgurances)

« Je ne suis pas un rebelle, mais un enfant perdu de l'ordre public. »
(Fulgurances)

Révolution

« Il n'y a que les révolutions ratées qui portent leurs fruits : 1848, 1968… »
(Fulgurances)

Rire

« Si vous voulez séduire une femme, faites-la rire. D'abord. Si vous voulez séduire le monde, faites-le rire. C'est dans le rire que les choses passent. »
(entretien avec Thierry Ardisson, lors d'une émission de télévision diffusée en 1992)

« Il vaut mieux rire que sourire car le sourire c'est le rictus de la mort. »
(entretien filmé avec André Halimi, 17 novembre 1988, document Institut national de l'audiovisuel)

« Ras le bol de vos gueules d'enterrement. Il faut savoir rire dans les cimetières. »
(Fulgurances)

Roman

« L'extraordinaire pouvoir du romancier, c'est finalement de n'avoir aucun pouvoir sur rien mais d'avoir une souveraineté sur tout. »
(dans l'émission « 30 millions d'amis » diffusée sur TF1, le 14 février 1981)

Royer (Jean, 1920-2011)

« Le docteur Knock des charcutières. »
(*Le Figaro*, 22 avril 1974)

Salauds

« Ces gens qu'on nous impose sont-ils seulement ce qu'ils paraissent ? Ces nouvelles du show-biz, ces fumées sans feu ? Si vous voulez briller, soyez pacotille ! Si vous voulez vous faire entendre, évitez de dire quoi que ce soit ! Si vous voulez vous élever, abaissez-vous ! Nous n'avons plus d'autres modèles que ceux que propose la télévision. Qui sont nos héros ? Les présentateurs de télé, dents blanches haleine fraîche ? (...) Nous assistons à une effrayante inversion des valeurs, faux penseurs, savants bidons, chanteurs nuls, imposteurs en tous genres : il est dans la nature même du monde de l'image, c'est-à-dire du paraître, de propulser en avant les escrocs médiatiques – les « malfaiteurs des apparences », si je m'en réfère très exactement au sens juridique donné au mot d'escroc à l'origine. Leur seule technique, c'est de se donner un air sympa. Moins ils ont de choses à dire, plus on les paye.

Alors que la télévision est écartelée entre le besoin de parler et la nécessité de ne rien dire, ils ont pour fonction d'être les chiens de garde de la machine qui ne tourne à vide que pour entretenir l'huile nécessaire à sa propre lubrification. À la bourse des non-valeurs, ils mettent leur néant hors de prix – au point que même les spectateurs s'en sont aperçus –, mais ils sont sympas comme tous les commerçants.

Montherlant avait prophétisé l'avènement de ces nouveaux prestataires de services : les salauds sympathiques. Nous y sommes. »
(« Journal intime », *L'Éventail,* septembre-octobre 1987)

« Les salauds sont tout simplement ceux qui ne se trompent pas en même temps que vous. »
(Fulgurances)

Salons

« Des shampooinnats de France d'orthographe aux brushings publicitaires, nous sommes passés des salons du XVIIIe siècle à d'autres salons – que dis-je, aux instituts capillaires. Figaro-ci, Figaro-là, Pivot-ci, Ségué-là. »
(Fulgurances)

Scandale

« Il faut être scandaleux pour lutter contre les scandales. »
(parmi les quelques mots prononcés par Hallier sur la tombe de Coluche en juin 1986)

Sécurité

« Vos parents, jeunes gens, se sont installés dans la sécurité, comme dans cette cathédrale ruinée où ils ne se sentent plus à l'abri – et où, à la première goutte de pluie, ils implorent un toit qui leur tombe sur la tête. »
(Bréviaire pour une jeunesse déracinée)

« On est toujours plus en sécurité dans la gueule du loup. De l'autre côté des dents. »
(Fulgurances)

Sérieux

« Allons, les mecs, un peu de sérieux – je veux dire une once d'honnêteté intellectuelle. »
(Les Puissances du mal)

Siècle

« Nous sommes passés du siècle des Lumières à l'ère des sunlights. »
(Fulgurances)

Snobisme

« Le snobisme de gauche, c'est cette vieille idée selon laquelle la culture serait à gauche. Pour moi, c'est complètement faux : la beauté n'a pas de camp. »
(Fulgurances)

Socialisme

« Le socialisme n'est qu'un christianisme athée. On a remplacé l'hostie dans le tabernacle par le poulet dans le réfrigérateur. »
(Fulgurances)

« Le socialisme ne serait-il beau que dans l'opposition ? Tenu par la raison d'État, il poursuit l'autodestruction des principes sur lesquels il se fonde ; il se croit obligé de surenchérir de discours, pour n'avoir pas à faire l'aveu de son impuissance. »
(Bréviaire pour une jeunesse déracinée)

« Les socialistes sont des alchimistes à rebours qui transforment l'or en plomb. »
(Fulgurances)

Société

« Je rêve d'un siècle renaissant où la blessure d'une épine de rose suffirait à empoisonner toute société. »
(Fulgurances)

Souffrance

« Ne souffrez pas, laissez infuser, comme l'écrirait le poète Michaux. »
(Chaque matin qui se lève est une leçon de courage)

Spectacle

« Leur société du spectacle, c'est le spectacle qu'ils se donnent d'eux-mêmes. »
(Les Puissances du mal)

Statue

« Une statue, quand elle se dresse, elle défie le temps. »
(Le Premier qui dort réveille l'autre)

Suffrage universel

« Mauvaise pensée : un honnête homme élu au suffrage universel devient obligatoirement un escroc. »
(Fulgurances)

Suicide

« Pour inciter un adolescent fragile à se donner la mort, il ne faudrait pas lui parler de l'inégalité des revenus, mais plutôt lui révéler le dessous de quelques grandes carrières. »
(« Journal intime », *L'Éventail,* septembre-octobre 1987)

Surdoué

« Le surdoué c'est un moteur gonflé. Une petite cylindrée qui s'emballe et que notre société, vouant un culte grotesque aux automobiles et à l'informatique, met au pinacle des Dieux de sa nouvelle religion technologique. »
(Bréviaire pour une jeunesse déracinée)

Talent

« Le talent est l'apanage de la médiocrité. »
(Fulgurances)

Tapie (Bernard)

« Pour séduire Edwige, dont il savait qu'elle suivait des cours de chant, il (Tapie) lui dit :

– J'ai fait dix ans de violon.

J'entendis et intervins, laissant tomber dans un silence à couper au couteau :

– Avec ou sans sursis ? »
(« Journal intime », *L'Éventail,* septembre-octobre 1987, puis *Les Puissances du mal*)

« Il faut déboucher le port de Marseille de cette sardine si avariée. »
(lors d'une conférence de presse, janvier 1989)

« Petit voyou portuaire, tueur à gages, dépeceur d'entreprises, détrousseur de pauvres. [...] »
(*L'Idiot international,* mars 1989)

« La vulgarité triomphante de cet escroc devient de plus en plus insupportable. (...) Tapie derrière les murs de la Santé ! (...) On le retrouvera suicidé dans un fossé, un jour. »
(dans une émission de télévision produite par Thierry Ardisson et diffusée sur la chaîne Antenne 2, le 25 mars 1989)

Technocrate

« Les technocrates compliquent le monde pour qu'on ne comprenne pas leur bêtise. »
(Fulgurances)

Temps

« Dans les deux poids-démesure de la balance commerciale, c'est l'or du temps qui pèse le plus lourd. »
(Fulgurances)

Totalitarisme

« Le totalitarisme enfantin est l'expression d'un surcroît de vie, et le totalitarisme adulte de sa déperdition, de la lente montée de la mort, pour étouffer les forces de la vie. L'un est Eros, l'autre Thanatos. »
(Bréviaire pour une jeunesse déracinée)

Valeurs

« Jamais, me semble-t-il, l'écart n'aura été plus grand entre les valeurs réelles, méprisées, bafouées, rejetées dans l'ombre – en une société où personne ne parle, par exemple, de la pétition de quarante prix Nobel, choisis parmi les plus grandes intelligences du monde – et les fausses valeurs qu'on célèbre dans l'église cathodique universelle où tout marche au bluff. »
(« Journal intime », *L'Éventail,* septembre-octobre 1987)

« Je suis consterné de voir l'inversion des valeurs qui se glisse dans notre pays, où les cancres sont au pouvoir, pendant que la vraie élite, celle qui n'est pas médiatisée, reste ignorée. »
(dans un entretien avec Jean-Pierre Jumez en 1992, accessible sur Internet)

Vanité

« La vanité est une couche d'ozone qui permet de ne pas être brûlé par le soleil des autres. »
(dans une conversation téléphonique avec André Rousselet (1922-2016) en 1995, puis dans *Fulgurances*)

Verbe

« Le verbe s'est fait cher. Assez d'actes, des paroles ! »
(Fulgurances)

Vérité

« Hélas, l'histoire de la vérité est essentiellement faite de celles de nos aveuglements. »
(Bréviaire pour une jeunesse déracinée)

« Je suis un mensonge qui dit toujours la vérité. »
(dans l'émission de télévision « Télé Zèbre », de Philippe Manœuvre, diffusée en 1990)

« J'aime mieux être une putain, une prostituée de la vérité, qu'une bourgeoise vertueuse. »
(Fulgurances)

« La vérité est toujours imprudente – je veux dire elle n'a que faire de la prudence qu'on lui assigne, et qui ressemble si fort au mensonge. »
(Bréviaire pour une jeunesse déracinée)

« Il faut toujours laisser la vérité remonter à sa source enfantine. »
(Fulgurances)

« Une vérité (...) n'a pas toujours à être dite. Quand elle est sommée de dire toute la vérité, c'est comme si elle avait non plus à être simplement vraie, mais à se disculper. »
(Bréviaire pour une jeunesse déracinée)

« Si j'avais su ce qu'il en coûte d'être un diseur de vérité, je me serais tu, j'aurais fait comme tous les autres, comme j'y ai excellé pendant de nombreuses années, du surf sur les vagues de la mode. »
(Fulgurances)

Vertu

« C'est bien connu, les gangsters adorent la vertu, de même que les anciennes putes s'en font les sentinelles incorruptibles. »
(Fulgurances)

Vie

« Risquer, c'est vivre pleinement. »
(Bréviaire pour une jeunesse déracinée)

« Quand on dit "je", on risque toujours sa vie. »
(Fulgurances)

« On ne meurt pas puisque la vie s'achève tous les jours. »
(Fulgurances)

« Tant que je n'arriverai pas à perdre la tête, le cœur, je ne me démettrai pas de la vie : j'en serai destitué. »
(Fulgurances)

« Ma vie est le brouillon de mon œuvre. »
(Fulgurances)

« La vie est une tragédie optimiste. »
(dans une émission de télévision consacrée à Dominique de Roux, réalisée par François Debré et produite par la chaîne Antenne 2, qui la diffusa le 15 juin 1978)

« On peut mourir par excès de vie. On a la mort du désir qu'on mérite. »
(Fulgurances)

« À la banqueroute du temps vécu, plus notre vie s'allonge, plus elle raccourcit. Plus le soleil se couche tard, plus les petits matins tardent à se lever. »
(Bréviaire pour une jeunesse déracinée)

Vitalité

« Tant que j'aurai de la vitalité, je ne souffrirai pas, j'endurerai. »
(Fulgurances)

« La faculté d'oubli, c'est le ressort de l'énergie vitale. »
(Fulgurances)

« Il faut toujours scier la branche sur laquelle on est perché. Ça permet de s'envoler. »
(Fulgurances)

Voyage

« Partir, c'est mourir un peu. Rester, c'est mesurer le rétrécissement de son propre territoire, arpenter les courbes d'une peau de chagrin toute ronde. »
(Bréviaire pour une jeunesse déracinée)

« Où est-il ? Il est en voyage, il est hors de lui. »
(Fulgurances)

Vrai

« Le vrai n'est jamais crédible. Le crédible est le vrai de l'opinion majoritaire. Le vrai relève de l'*Aleiteia – vérité* dans la philosophie grecque – et non de la *doxa,* c'est-à-dire de l'opinion prétendue publique. Ce n'est pas parce qu'on est minoritaire dans une société, contre la *doxa,* qu'on cesse d'être dans le vrai. L'opinion de la soi-disant majorité, c'est paradoxalement le contraire de la *vox populi* que cette majorité ne cesse de détourner. »
(Le Dandy de grand chemin)

Le double hommage de Jean Dutourd

L'académicien Jean Dutourd (1920-2011) a fait partie des rares personnalités parisiennes à avoir parfaitement perçu et publiquement prévenu qu'Hallier était trop écrivain et artiste pour ne pas avoir gain de cause devant le tribunal de l'Histoire, face à un politicien au profil sinistre et désormais notoire (cf. note nº 20 p. 53). Son amitié pour Jean-Edern fut sincère, désintéressée et sans faille, comme le contenu de ces deux articles contribue à en témoigner.

« Il aura le dernier mot[1] »

« Il y a une haine du pouvoir contre Jean-Edern Hallier qui dépasse de beaucoup la persécution traditionnelle qu'infligent les gouvernements aux téméraires qui les attaquent. Ce gouvernement que nous avons, et qui est si mou, si hésitant, si poltron dans sa conduite ordinaire, semble, pour une fois, habité d'une vraie passion : celle de ruiner un homme de fond en comble, de le réduire à l'état de loque sociale, de le tuer s'il le peut. Ma foi, je regrette quelquefois de ne pas être à la place de J.-E. H. Il est grisant d'être ainsi détesté. Et pour quelles raisons ! Parce qu'on a un petit journal, dans lequel on imprime les incongruités qui vous passent par la tête ! Avec l'énergie que met le gouvernement à anéantir J.-E. H., on pourrait conquérir un empire colonial ou régenter l'Europe. Le pouvoir a le pouvoir. Cela ne lui suffit pas. Il lui faut encore la respectabilité. Il ne supporte pas qu'un homme de lettres le picote.

L'inconvénient, c'est que le pouvoir a toujours tort contre les hommes de lettres, même si, par hasard, il a raison. Tort, avec sa puissance, de terrasser un particulier. Et surtout si ce particulier (comme c'est le cas) a la langue bien pendue et la plume emballée. L'homme de lettres a toujours le dernier mot. Le gouvernement est en train de le transformer en Diogène, en Beaumarchais, en Léon Bloy. Les tribunaux le condamnent. Mais il y a un autre tribunal qui lui accordera de formidables dommages-intérêts. Malheur à qui persécute un homme de lettres. Napoléon III ne s'en est pas encore remis. Et Napoléon III, c'était quand même autre chose que ce qui règne aujourd'hui. »

« Jean-Edern (2) »

« Lorsque André Breton mourut en 1966, il y eut un concert de lamentations. C'était à qui pleurerait le plus fort. J'en étais abasourdi. Je me disais : "C'était bien la peine d'avoir été le pape du surréalisme, d'avoir mécontenté ou brisé tant de gens, d'avoir jeté tant d'anathèmes, d'avoir foudroyé et maudit toute sa vie durant, pour être enseveli sous les louanges comme le dernier des imbéciles !" J'écrivis sur l'événement un petit article dans lequel il y avait cette phrase : "Malheur aux cadavres sur lesquels personne ne vient cracher !" Les quelques survivants du surréalisme, les derniers fidèles de Breton, ne me le pardonnèrent jamais. Pourtant, sous ma plume, ce n'était pas une injure. Plutôt un regret.

Jean-Edern Hallier qui, en dépit de ses tribulations, avait, en somme, réussi sa vie, aura réussi également sa mort. Ce n'est pas un concert de lamentations qui l'a accompagné au tombeau, mais un charivari d'insultes. Lui, vraiment, ne pourra pas se plaindre qu'on n'ait pas craché sur sa tombe. Tous les ânes de l'intelligentsia parisienne (et il y en a) y sont allés de leur coup de pied. Un lion mort, c'est une aubaine "à profiter de suite", cela ne se rencontre pas tous les jours. La gazette la plus nécrophage lui consacra sa première page sous le titre "Le roman d'un tricheur", ce qui était, ma foi, bien choisi, attendu que l'existence de Jean-Edern, du commencement à la fin, a été le contraire d'une tricherie.

Il a été vrai, et j'oserai même dire pur en tout, qu'il s'agît de littérature ou d'action. En tant qu'écrivain, il possédait ce don si rare, qu'il publiait, article ou livre, allait jusqu'au fond des choses, et les éclairait d'une lumière incontestable. On le décore du nom de polémiste, mais c'est faux ; il était avant tout un artiste. Je veux dire par là que sa main le menait où il devait aller autant que son intelligence. Il aura été le poète lyrique de notre temps. Ce lyrisme s'épanouissait quelquefois dans l'imprécation, comme chez le père Hugo, que bien des pieds-plats du XIXe siècle tenaient pour un énergumène ou un hurluberlu, mais qui était, à sa façon, l'honneur de la France.

Quant à la politique, Jean-Edern n'a jamais volé au secours des vainqueurs, comme l'ont fait (ou auraient bien voulu le faire) ceux qui le piétinent aujourd'hui. Au contraire, on le trouvait chaque fois qu'il le fallait du côté des vaincus. Il a été avec infaillibilité le champion des causes perdues, et grâce à lui, grâce à son esprit, à son génie, elles n'ont pas été tout à fait perdues. Il a défié sans peur les puissants. Et finalement, il est parvenu sinon à les terrasser, tout au moins à les démasquer. Et à cause de lui, c'est sans leur masque que les authentiques imposteurs, les authentiques « tricheurs » seront jugés par l'Histoire, si tant est que l'Histoire daigne ne pas les oublier tout à fait.

Il faut dire les choses comme elles sont : avec la mort de Jean-Edern Hallier, ce n'est pas seulement la littérature française qui est en deuil, c'est aussi la morale et l'esprit français. »

(1) *L'Idiot international* nº 75, février 1992.

(2) *France-Soir,* 18 janvier 1997.

« Il est mort sur les planches. Comme Molière (1) »

Par Philippe Bouvard (2)

« Le meilleur écrivain de tous les temps selon lui, un bon romancier selon moi. Fils d'un général breton, il n'accepta jamais de rentrer dans le rang. Il publia un mensuel au vitriol à l'enseigne de *L'Idiot international,* signa une *Lettre au colin froid* où il ridiculisait Giscard puis un brûlot où, le premier, il dévoilait l'existence de la fille cachée de Mitterrand que des pressions policières empêchèrent finalement de paraître avant de se prétendre victime d'un rapt qu'il avait lui-même organisé. On n'avait pas voulu de lui comme ministre, il fut anar. À la télé, il assura un temps une émission littéraire à la fin de laquelle, il prenait un à un les livres qui venaient de paraître, il les jetait derrière lui en expliquant que leur manque de talent ne méritait pas d'autre traitement.

Nous n'avions rien pour nous comprendre mais nous nous retrouvions assez souvent. Dans mes émissions où il faisait le "buzz" comme on ne disait pas encore, il tonitruait. Il lançait les pires accusations – toujours sans preuves – contre les puissants de ce monde. Je me souviens du retour d'une signature de livre que nous avions faite en province. Une journée harassante ponctuée de dédicaces et d'interviews. Dans le wagon du train qui nous ramenait vers Paris et en compagnie d'une trentaine d'autres écrivains, il s'était soudainement endormi, la bouche ouverte et retrouvant lui, le vieux trublion, les mimiques de l'enfance.

Même sa fin aura été originale. Alors que quasiment aveugle, il venait d'inaugurer une exposition de ses dessins à Deauville, il décida d'aller faire un tour à vélo. La promenade lui fut fatale. Il est mort sur les planches. Comme Molière. »

(1) Extrait de *Je crois me souvenir... : 60 ans de journalisme,* paru aux Éditions Flammarion en 2013.

(2) Philippe Bouvard est un journaliste, présentateur de télévision et de radio, également auteur d'ouvrages, de pièces de théâtre et de dialogues au cinéma. Né en 1929, il fut l'animateur de 1977 à 2014 de l'émission radiophonique « Les Grosses Têtes » sur RTL.

« Le "triomphe" de Jean-Edern »

Par Philippe de Baleine (1)

Peu avant la mort d'Hallier, Philippe de Baleine avait rédigé un « petit poème » à sa mémoire en imaginant qu'il assistait à son cortège de gloire sur la fameuse via Sacra où se déroulaient les triomphes des empereurs romains. « Je n'osai le publier, par peur d'exaspérer Mitterrand qui m'avait mis sur écoutes comme bien d'autres amis de Jean-Edern », confie-t-il dans *C'est décidé ! Ne pleurons plus !,* un livre de réflexions et de souvenirs paru chez Edilivre en 2014. « Ressuscitons aujourd'hui, écrit-il encore, cet hommage amusé au grand trublion du XXe siècle » :

« En tête du cortège, marche le premier Jean-Edern Hallier, un ophicléide en bandoulière, dont le vaste pavillon lance à tous les cieux l'hymne déjà fameux : "Le jour de gloire de Jean-Edern Hallier est arrivé." Derrière lui, défilent dix autres Jean-Edern costumés en sans-culottes. Ils jouent, qui de la trompette, qui du tambour, et se déchaînent au refrain : "Allons enfants de Jean-Edern." Derrière dansent et sautent vingt Jean-Edern en braies bretonnes qui agitent des branches de gui et autant de Jean-Edern en armures qui frappent des tambours en peau de tiers-mondistes.

Ensuite, apparaît le char triomphal tiré par quatre chevaux blancs anthropomorphes qui ont les traits de Jean-Edern. Debout à l'avant du char, Jean-Edern Hallier, travesti en Père de Foucauld, le visage haut, fixe droit le soleil. Sur les flancs du char, qui est d'or et d'orichalque, sont gravées des allégories : Jean-Edern terrassant la Bêtise, Jean-Edern poursuivant le Crime, Jean-Edern ramassant dans le ruisseau le flambeau de la Liberté.

Il crie : "Je suis le plus grand écrivain de tous les temps !" Caché dans la foule, Chateaubriand applaudit. Il reconnaît son fils spirituel. D'aucuns cependant ricanent. Jean-Edern appelle sur eux la foudre de Zeus, le déluge de Yahvé et les roches de Wotan. "Et si ça ne suffit pas, s'écrit-il en couvrant le micro de sa main, je les assommerai à coups de bouteilles de vodka." Ce ne sont pas les bouteilles de vodka vides qui manquent. Le char en est plein.

Le cortège s'étend maintenant sur toute la longueur de la via Sacra. Là-bas, sur les marches du Capitole, une ombre fuit, misérable et vacillante. C'est de-Gaulle-le-Petit, les reins encore meurtris par les grilles de l'Observatoire.

Derrière le char, piétinent, enchaînés, Bernard-Henri Lévy et Bernard Tapie. Ils n'en veulent pas à leur triomphateur et le regardent avec des yeux amoureux. Dans sa main droite, Bernard-Henri Lévy porte un globe terrestre, et Bernard Tapie, dans la main gauche, une statue d'Hermès, dieu du commerce et des voleurs.

On voit ensuite rouler des chars qui proposent des tableaux vivants : Jean-Edern enfant parlant au Pape ; Jean-Edern à Budapest repoussant, à seize ans, à la tête des petits résistants, tout à tour l'armée allemande et l'armée russe ; Jean-Edern debout dans sa Ferrari, haranguant les ouvriers de Renault en 1968 ; Jean-Edern rassurant Arafat à Bagdad sous les premiers bombardements américains : "N'aie pas peur, Yasser, ça ne fait pas mal", et il montre au leader palestinien ses blessures de guerre ; Jean-Edern au Cambodge, avec Pol Pot, montés sur des éléphants et mettant en fuite une armée vietnamienne. Enfin, clôturant le triomphal cortège, un Jean-Edern en toge à bande pourpre brandit le dernier livre de Jean-Edern Hallier, *Le Dandy de grand chemin,* dont le titre est un aveu insolent.

Cependant, là-haut, penchées au balcon de l'Olympe, les ombres mêlées d'Hugo et de Léon Bloy ne cachent pas leur émotion et laissent tomber d'abondantes larmes.

Des amis, paraphrasant Paul Reboux, me font remarquer qu'en versant d'abondantes larmes sur la flamme glorieuse de Jean-Edern, Hugo et Bloy risquaient de l'éteindre... »

---

(1) Philippe de Baleine est un journaliste qui fut notamment rédacteur en chef de *Paris Match* et de *Science et Vie.* Né en 1921, il a publié de nombreux ouvrages, dont des romans, le plus souvent inspirés par sa passion pour l'Afrique centrale, l'Asie du Sud et l'Amazonie.

Le Cercle InterHallier a son premier carré !

« ... Bénin remarqua :
– Le jour d'hui est placé sous le signe du cercle. Le cercle est le principe de notre mouvement ; il va devenir l'aliment de notre force. Toutes les choses rondes ont droit désormais à notre piété. (...)
Bénin répéta :
– Nous sommes voués au cercle.
Et la pensée des copains prit la forme d'un cercle. La salle fut une boule creuse, le village un disque, et la planète n'eut jamais autant de raisons d'être un globe. »

Jules Romains (Louis Henri Jean Farigoule, dit, 1885-1972),
Les Copains

« En faisant un cercle, j'ai clos un monde sur lui-même, j'ai créé une solitude. Mais une solitude en rotation et qui, de ce fait, va rayonner. Le cercle est une puissance. »

Michel Seuphor (Ferdinand Louis Berckelaers, dit, 1901-1999),
Autour du cercle et du carré

L'avenir dira s'il s'agit d'une chose fortuite ou d'un événement passager... Mais ce qui apparaît d'ores et déjà certain, c'est que le Cercle InterHallier est né le 1er mars 2017. Sans fanfare à hélicon ou majorettes ni pompe médiatique. Juste annoncé par *PresseNews,* l'organe qui, doté de sa vigie Guillaume Fischer, informe avec une bonne encablure d'avance les milieux réputés informés...

Un premier carré d'une centaine de personnes s'est donc donné rendez-vous ce jour-là au « Dada », un établissement parisien de l'avenue des Ternes, dans le 17e arrondissement de Paris. Autant prévenir d'emblée : il n'avait pas pour projet « la création d'une contrée de primordialité simple où le cercle et le carré sont l'Ève et l'Adam d'une genèse inattendue, les fondements d'une nouvelle forme de culture », comme l'écrivait Michel Seuphor, expert mondrianesque ès figures géométriques plus ou moins élémentaires, auteur, entre autres textes mémorables, d'*Autour du cercle et du carré*... Il n'avait non plus la prétention de s'imposer comme le fait marquant de l'année et encore moins de profiter de l'occasion pour refaire le monde... Non, il avait en son sein de belles Ève et de beaux Adam, issus de tous horizons et venus parfois de loin, pour donner naissance, avec l'amicale complicité musicale de deux talentueuses accoucheuses de sons, la guitariste Marie-Ange Martin et la cornettiste Shona Taylor, non à un comité Gustave, Théodule ou Hippolyte, selon les mots célèbres du général de Gaulle dans son discours d'Orange, mais à un Cercle dont l'ambition est triple. D'abord, bien sûr, célébrer l'écrivain Jean-Edern Hallier né le 1er mars 1936, qui fréquenta le « Dada » durant les dernières années de sa vie. Ensuite, faire un pied de nez, au passage, et dans un style un brin potache, au Cercle de l'Union Interalliée, tout en essayant, l'air de rien, de maintenir un esprit néo-hallierien de dénonciation des impostures, à une époque où défiance et discrédit se conjuguent allègrement, sur fond de brouillage généralisé des repères, de népotisme, d'endogamie et de corruption à tout va. Enfin, contribuer, dans la mesure du possible, à promouvoir la Littérature, mais pas seulement, c'est-à-dire l'Art sous toutes ses formes, à soutenir les artistes, les auteurs et les chercheurs, quels qu'ils soient, à défendre ce qu'il est convenu d'appeler les spectacles vivants.

Aucune confusion possible donc. Le Cercle InterHallier ne relève pas de l'entre-soi du portefeuille, de préférence boursier, en mode CAC 40. Il ne propose ni cour dite d'honneur et salles de réception, ni piscine, hammam, jacuzzi dernier cri et tutti quanti. Il n'a rien d'un investissement, d'un bureau de placement ou d'un placement. Il est juste un aréopage, avec, pour ses participants, une date et un point de ralliement dans les agendas, au moins une fois par an.

Ont formé le premier carré, le 1er mars 2017, du Cercle InterHallier :

Catherine Artigala, comédienne ; Adam Barro, chanteur lyrique ; Sébastien Bataille, auteur de biographies, chroniqueur musical, chanteur et auteur de chansons ; René Beaupain, écrivain, ancien chercheur au Centre national de la recherche scientifique ; Jacques Boissay, photographe ; Hélène Bruneau-Ostapowicz, détentrice du droit moral de Maurice Utrillo et Suzanne Valadon ; Patrice Carquin, chef d'entreprise ; Adeline Castillon, conseil en communication ; Audrey Chamballon ; Laurence Charlot, journaliste, et Olivia Charlot-Guilbert, juriste ; Bénédicte Chesnelong, avocate au barreau de Paris ; Philippe Cohen-Grillet, écrivain et journaliste ; Jean-Marc Chardon, journaliste, chef de service à France Culture ; Xavier du Chazaud, avocat au barreau de Paris ; Isabelle Coutant-Peyre, avocate au barreau de Paris ; Michèle Dautriat-Marre, amatrice d'art ; Caroline Dumas, de l'Opéra de Paris, chanteuse lyrique et professeur à l'École normale supérieure de musique de Paris – Alfred Cortot ; Philippe Dutertre, créateur d'*Ici Londres,* le magazine des Français à Londres ; Cécilia Dutter, écrivaine et critique littéraire ; Gabriel Enkiri, écrivain et éditeur ; Joaquín et Christiane Ferrer, artiste et chef d'établissement ; Patrice Gelobter, responsable de communication ; Jean-François Giorgetti, auteur-compositeur ; Paula Gouveia-

Pinheiro ; Anne Guillot, amatrice d'art ; Patrice Guilloux (1942-2017, cf. *In memoriam,* Appendice), manager, et Marie-Hélène, son épouse, amatrice d'art ; Laurent Hallier, frère de Jean-Edern Hallier ; Ariane Hallier, fille de Jean-Edern, décoratrice ; Dominique Joly, avocat au barreau de Paris ; Jean-Luc Kandyoti, pianiste et compositeur ; Ingrid Kukulenz ; Christian Lachaud, conseil en communication ; Albert Robert de Léon, directeur de galerie à Paris, expert en tapis ; Ghislaine Letessier-Dormeau ; Jean-Louis Lemarchand, membre de l'Académie du Jazz, écrivain et journaliste ; Didier et Pascale Lorgeoux, chefs d'entreprise ; Christophe-Emmanuel Lucy, écrivain et journaliste ; Monique Marmatcheva ; Odile Martin ; Bruno et Marie Moatti ; Michel Monnereau, poète ; Michel Pittiglio, président de l'association Maurice Utrillo ; Daniel Rivière, conseil en gestion de marques ; François Roboth, journaliste, photographe et chroniqueur gastronomique ; Philippe Semblat ; Jacques Sinard, spécialiste du trust, Former Secretary du Salvador Dalí Pro Arte Trust, secrétaire du Groupe de Domptin, avocat émérite aux barreaux de Bruxelles et de Paris ; Véronique Soufflet, chanteuse, auteure-interprète et comédienne ; Hélène Thiollet, biologiste ; Monique Thiollet, proviseure ; Pierre Thiollet, juriste, membre de la Spedidam (Société de perception et de distribution des droits des artistes-interprètes) ; Jean-Pierre Thiollet, auteur ; Genc Tukiçi, pianiste et compositeur ; Laurence Vaivre-Douret (cf. « Ruban rouge », Appendice), neuropsychologue clinicienne, chercheuse et auteure d'ouvrages ; César Velev, violoniste-concertiste ; Laurent Wetzel, écrivain, ancien homme politique et inspecteur d'académie, et Marie-Henriette Wetzel, son épouse.

« Prenez un cercle, caressez-le, il deviendra vicieux ! »

Eugène Ionesco (1909-1994), *La Cantatrice chauve*

Laurent Hallier, le frère de Jean-Edern Hallier

Le chanteur lyrique Adam Barro

Le pianiste et compositeur Genc Tukiçi

Caroline Dumas, de l'Opéra de Paris

Le responsable de communication Patrice Gelobter et le journaliste, photographe et chroniqueur gastronomique, François Roboth

L'essayiste René Beaupain

Marie Moatti, mère du pianiste Michaël Moatti et de la violoniste Elsa Moatti

L'écrivaine et critique littéraire Cécilia Dutter, Jean-Pierre Thiollet, et la chanteuse et comédienne Véronique Soufflet

Les écrivains et journalistes Philippe Cohen-Grillet et Christophe-Emmanuel Lucy

Jean-Louis Lemarchand, vice-président de l'Académie du jazz, écrivain et journaliste

François Pointeau et Anne Guillot, amatrice d'art

Patrice Guilloux et son épouse Marie-Hélène

Philippe Dutertre, le créateur d'*Ici Londres*

Le poète Michel Monnereau

La comédienne Catherine Artigala

L'avocat émérite Jacques Sinard

La neuropsychologue clinicienne Laurence Vaivre-Douret

L'essayiste Laurent Wetzel et son épouse Marie-Henriette

Le pianiste et compositeur Jean-Luc Kandyoti

Hélène Bruneau-Ostapowicz

Michèle Dautriat-Marre

Jean-François Giorgetti, auteur-compositeur

Ghislaine Letessier-Dormeau

Le photographe Jacques Boissay et son épouse Dominique

Paula Gouveia-Pinheiro, lectrice-correctrice professionnelle

Albert Robert de Léon, directeur de galerie et expert en tapis

L'avocate Isabelle Coutant-Peyre

Daniel Rivière, conseil en gestion de marques

Monique Thiollet, proviseure

Christian Lachaud, conseil en communication

Adeline Castillon, conseil en communication

Bénédicte Chesnelong, avocate au barreau de Paris

Hélène Thiollet, biologiste, chargée de projet à l'Institut national du cancer

La cornettiste Shona Taylor
et la guitariste Marie-Ange Martin

Photos : Jean Bibard (*FEP – France Europe Photo, agence de presse photographique*) et Nicolas Tavernier
Infographie : Armelle Fabry (Chatel Photocompo)

Art de vivre… avec Hallier

« Il assiège la porte de la cuisine – le cosmos. »

Kiyosaki Toshio (1922-1999)

« Un client demande à un restaurateur des Champs-Élysées :
– Pourquoi n'avez-vous pas de parking pour vos clients ?
– Mon vieux, si j'avais un parking ici, je n'm'embêterais sûrement pas à faire marcher un restaurant ! »

Propos attribués à Coluche (Michel Colucci, dit, 1944-1986)

« Il n'y a que les repas bon marché qui font grossir. »

Mafalda (Mafalda Davis née Marouf, dite, 1914-2009), *Le Lit n'est pas fait pour dormir*

Jean-Edern Hallier a-t-il jamais eu besoin de se désinhiber face à une page blanche ? Rien n'est moins sûr, et il ne semble pas du tout certain non plus que le vin l'ait parfois aidé à écrire et qu'un petit verre de blanc ait pu débloquer l'écriture. Mais ce qui ne saurait être nié, c'est que les nourritures terrestres cuisinées avec amour, les alcools de bonne provenance et les crus de gastronome ont fait partie, tout au long de son existence, de son art de vivre… la littérature.

Les gorgées gouleyantes le rendaient prolixe, dispensateur généreux de formules, d'images, de trouvailles… Lever le coude lui apparaissait de surcroît comme l'une des meilleures façons de ne pas baisser les bras et il n'était jamais loin de partager cette conviction chère à Raymond Dumay que « la vérité profonde d'un peuple on la trouve d'abord au fond de son verre » *(La Mort du vin)*. À table, Jean-Edern parlait relativement fort car ce grand vivant aimait se faire entendre. Surtout si quelque beau minois et un décolleté dont la géographie invitait au tourisme voluptueux se trouvaient dans les environs plus ou moins immédiats. Avec lui toutefois, la conversation n'était pas la guerre – tant s'en fallait – et ce bretteur au tempérament de polémiste en avait appris les règles. S'il venait à évoquer son manoir breton et la pluie qui se montrait un peu trop sans gêne en traversant le toit, il était capable de se montrer très curieux des heurs et malheurs d'un interlocuteur et de faire preuve de compassion. Il paraissait toujours être à son aise avec les autres et les mettait à l'aise. En découlaient une certaine idée de la civilisation et un savoir plaire sans art que n'aurait sans doute pas renié un Jean-Louis Guez de Balzac... Au point qu'il était permis de se demander si ce Jean-Edern ne se serait pas « bien plu sous Louis le quinzième / Même quand on savait le déluge imminent, / Que c'était bon de vivre au siècle intelligent / Quand la France avait de l'esprit / Jusqu'au bout des seins de la Du Barry », (*Poèmes à rires et à sourire,* Anne-Marie Carrière).

Pendant de nombreuses et longues années, La Closerie des Lilas fut son « quartier général », au point de s'insérer à part entière dans sa vie d'écrivain. Il n'en a pas moins fréquenté d'autres lieux, dont le « Dada », avenue des Ternes, à la fin de sa vie, et savait aussi, comme dit la jolie chanson « Paris je t'aime » de Véronique Soufflet (paroles de Véronique Soufflet, musique de Jean-Luc Kandyoti), « quitter le bar, descendre à pied les Grands Boulevards, Saint-Lazare, croiser les valises, les pendules, les départs ».

Pour davantage évoquer Jean-Edern dans ses « tours de table » et faire la connaissance de Jean-Paul Arabian, restaurateur réputé et maître du « piano » qu'il appréciait particulièrement et avec lequel il avait noué une relation amicale, rien de tel que se référer à François Roboth, qui a croisé l'un et l'autre, et est, jour après jour, depuis des lustres, un observateur attentif des coulisses de la vie parisienne et française…

« Le plat du voisin est comme le mari ou l'amant d'une autre femme… Il a toujours l'air meilleur. Jusqu'à ce qu'on le goûte ! »

Mafalda, *Le Lit n'est pas fait pour dormir*

« La table est le seul endroit où l'on ne s'ennuie jamais pendant la première heure. »

Brillat-Savarin, *Physiologie du goût*

« Il n'y a pas d'amour plus sincère que celui de la bonne chère. »

George Bernard Shaw (1856-1950), *L'Homme et le surhomme*

« Arabian souvenirs »

Par François Roboth[1]

« Dans un monde de plus en plus globalisé et googlisé, où on a toujours le doigt sur son smartphone, l'acte de manger est un acte de reconnexion avec son voisin. »

Alain Ducasse, *Sud Ouest,* 20 avril 2017

« Ventre affamé n'a pas d'oreilles, mais il a un sacré nez. »

Alphonse Allais, *Le Chat noir*

« Ce que j'aime le moins au restaurant, c'est le dessert, dit Medjrab. Il arrive trop près de l'addition pour qu'on puisse le savourer complètement. »

dans « Robert Castel raconte… »,
Encyclopédie internationale du rire, Éditions Mengès

« Souvenirs… Attention… Danger ! » Ce « tube » des années 1980, composé par Tony Stéfanidis pour la musique, sur des paroles de Serge Lama pour son album studio Philips *À la vie, à l'amour,* connaît toujours un immense succès. Il permet aussi, avec nostalgie, au restaurateur parisien, Jean-Paul Arabian, de le réécouter, parfois en boucle, et, même de le fredonner avec une émotion non dissimulée par son couplet préféré :

« Vieille plume Sergent-Major, mon amie.

Tes mots brillent comme de l'or dans la nuit… »

Étrangement, il lui rappelle le tragique et mortel accident de son ami et client, Jean-Edern Hallier.

Aujourd'hui, il se souvient qu'il est fier d'être le fils de parents arméniens, qu'au siècle dernier, à Cannes, son père était un bottier local renommé, qui avait connu et chaussé Mistinguett, et que, Lilloise, sa maman avait confectionné des costumes pour un certain général de Gaulle, futur président de la République. Mais aussi qu'il avait, pour des raisons familiales, à l'âge de neuf ans, fréquenté l'École catholique arménienne de Venise, amélioré son italien, découvert la bonne et savoureuse cuisine transalpine, et surtout appris à « aimer son prochain ».

Avant, quelques années plus tard, de devenir croupier stagiaire au Palm Beach de Cannes, le célèbre casino de réputation internationale, puis d'effectuer un rapide passage, comme steward sur la compagnie aérienne Alitalia, alors prestigieuse. Ce sont ces humanités accélérées sur le terrain azuréen qui le décideront et lui permettront d'embrasser le difficile mais captivant métier de maître d'hôtel. Attention ! Pas au hasard, mais uniquement dans la restauration « haut de gamme », comme le prouvent les 18 inoubliables, belles et enrichissantes années, où, en se perfectionnant, il travaillera sur la Croisette, puis au restaurant triplement étoilé l'Oasis de La Napoule du chef Louis Outhier. Un parcours exemplaire qui lui permettra de « monter à Paris » et, comme chef de rang, d'intégrer la prestigieuse brigade de salle du restaurant Maxim's. Un établissement parisien historique et mythique de la rue Royale, à deux pas de la place de la Concorde, riche d'une exigeante clientèle parisienne et internationale, fortunée. Propriété à cette époque du célèbre Louis Vaudable. Au siècle dernier, toujours d'actualité, sans avoir pris une ride, en restauration, la devise de ce propriétaire visionnaire comblé était : « Ne changez rien, vous changerez tout ! »

« Les gens du Nord... »

(Enrico Macias, Jacques Demarny, Jean Claudric. Warner, 1960)

C'est, peut-être inspiré par l'un des éphémères slogans de mai 1968 qui auraient, semble-t-il, fait souffler un vent de liberté sur notre société, qu'en 1979, à Lille, lieu de naissance de sa maman, Jean-Paul ouvrira, en centre-ville, « Le Restaurant », sa première affaire. Parmi ses fidèles et nombreux clients, il fera la connaissance de Ghislaine, une jeune fille du Nord qu'il épouse. Avec son réel talent culinaire, cette blonde et autodidacte « jeune mère » lilloise, accompagnée et coachée par le talentueux cuisinier Thierry Cambier, permet à ce couple de décrocher successivement, le premier puis le second macaron, que le redoutable et vieux Guide Michelin décerne chaque année, souvent avec parcimonie et, pas toujours à bon escient, malgré cette vieille blague arménienne, aujourd'hui obsolète, donc out !

« ... L'inaccessible objet... ! »

(Jacques Brel, « La quête », de « L'homme de La Mancha » – inspirée de la comédie musicale américaine à Broadway, « Man of La Mancha », 1965 – Théâtre des Champs-Élysées, Paris, 1968)

Cette notoriété culinaire se devait d'aboutir. Avec la complicité de l'un des chroniqueurs gastronomiques les plus en vue de cette heureuse époque, l'acariâtre Claude Lebey. Ce collaborateur de *L'Express* était un journaliste multicarte : éditeur, producteur TV, directeur financier, agent, non pas de joueurs de football, dont « les mollets (sont) au prix du filet », comme l'a si bien chanté Pierre Perret, mais un pionnier de la promotion et des transferts de chefs (un mercato clandestin mais toujours en usage). Il sera aussi, successivement, le directeur financier de l'éphémère grand couturier norvégien Per Spook installé dans la capitale, le directeur d'une collection de livres de cuisine de grands chefs, chez Robert Laffont, puis chez Albin Michel, avec également l'édition de son guide éponyme des bistrots parisiens, tout en étant un membre influent du mystérieux Club des Cent (parfois en surcharge pondérale), cette association de « fines fourchettes », souvent en note de frais, était réputée pour, paraît-il, renseigner le redoutable Guide Michelin pour son annuel classement nébuleux des grandes tables de l'Hexagone. Sur TF1, il assumera, aussi, d'être, avec le journaliste politique Jean Ferniot (RTL, *L'Express*), le coproducteur de l'émission culinaire « La grande cocotte », animée par la pétulante comédienne Marthe Mercadier et le médiatique cuisinier Michel Guérard, chantre et pionnier de la « cuisine minceur ».

Comme dans le succès mondial de la comédie musicale américaine de Broadway « L'homme de La Mancha », inspirée du Don Quichotte de l'espagnol Miguel Cervantès, immortalisé en France par la reprise triomphale du regretté Jacques Brel, « La Quête » de cet inaccessible objet se réalisera, en 1992, au cœur des Champs-Élysées, sur la plus belle avenue du monde, où, Jean-Paul et Ghislaine (toujours assistés de son chef Thierry Cambier) reprendront, sans hésiter, la direction et les cuisines du restaurant Ledoyen, une des nombreuses exploitations de la tumultueuse et bien nommée Compagnie Générale des Eaux.

« Patchouli, chinchilla ! »

(Emil Stern, Eddy Marnay, Pathé, 1969)

Un restaurant parisien historique et très fréquenté, animé par la trépidante « Mademoiselle Régine », avec, aux « pianos », un exceptionnel trio de chefs cuisiniers sous la direction, au poste de conseiller culinaire consultant, du fougueux et talentueux Jacques Maximin, meilleur ouvrier de France 1979. Affectueusement, et à juste titre, surnommé, par Michel Piot, le journaliste du *Figaro,* « le Bonaparte des fourneaux ». Pour diriger la solide brigade, son jeune disciple, le talentueux chef cannois, Philippe Dorange, sera à ses côtés et, pour « envoyer » les nombreux banquets quotidiens, chevronné et vigilant, le solide normand Jean-François Lemercier, lui aussi meilleur ouvrier de France 1993. Difficile de faire mieux ! À cette époque... très difficile !

« Pour ce Tout-Paris qui nous fait rêver... »

(Charles Aznavour, « Je m'voyais déjà... », l'un de ses premiers tubes en 1960)

En cuisine, déjà, selon la tendance, Ghislaine, son inséparable chef Thierry et leurs brigades revisitent, allègent et subliment les spécialités de la cuisine de son « plat pays » natal, où, par exemple, et au hasard, sur une carte alléchante, de savoureuses spécialités locales – les croquettes de crevettes, le waterzoi de poissons ou de poulet, les oignons frits, les frites fraîches à la graisse de bœuf... – qui laissent aux gourmets un inoubliable souvenir gourmand et permettent au Michelin de maintenir les deux étoiles accordées à Lille.

Perfectionniste en diable, en grand professionnel, Jean-Paul dirigera ce prestigieux complexe de restauration au sommet, avec comme astuce, à prix doux, au « Cercle » du rez-de-chaussée qu'il a créé, de régaler ses clients satisfaits, d'un filet américain (le tartare belge), de frites maison et d'une carte de bons champagnes, à prix coûtants, une révolution pour l'époque. Comblant ainsi la difficile clientèle « branchée » de ce « Tout-Paris » qui, comme dans la chanson de son compatriote arménien, Charles Aznavour (Shahnourh Varinag Aznavourian, pour l'état civil), « nous fait rêver ! »

« Aux Champs-Élysées… ! »

(Jo Dassin, Michael Deighan, Michael Wilshaw, Warner, 1969)

Jean-Paul ne peut oublier que ce sera très souvent en compagnie de son fidèle chauffeur Omar (2) que Jean-Edern Hallier fera de nombreux arrêts obligatoirement « buffets », au « Cercle » pour se restaurer, souvent fort tard certains soirs, et que, bien avant la draconienne interdiction de fumer dans les lieux publics, sous d'épaisses volutes de Cohiba, Partagas et autres gros modules pour Paris Première qu'il fumait sans arrêt, en effectuant de nombreux arrêts au bar où il se désaltérait à bon rythme et sans modération. Un lieu magique et technique, où, pour la chaîne de télévision naissante Paris Première, pendant presque deux ans, très fréquentée, donc très courue par des écrivains de renom, sa tumultueuse et iconoclaste émission littéraire, où, souvent jetés « à la volée » au public, via et face caméras, les mauvais ouvrages faisaient les frais de sa prestation télévisuelle iconoclaste, qui sera cependant très suivie.

Pour Jean-Edern Hallier, qui était ici comme chez lui, se lier d'amitié avec ce jeune directeur dynamique sera immédiat et réciproque !

« Souvenirs... Souvenirs !... »

(Johnny Hallyday et Rita Cadillac, chanteuse stripteaseuse ; adaptation du tube « Souvenirs » de Cy Cohen par Fernand Bonifay, *Vogue,* 1960)

Jean-Paul se souvient que, selon les heures de la journée, les éclats et les frasques fréquentes de son nouvel ami se multipliaient. Avec l'implacable usure du temps qui passe – et ne se rattrape jamais ! –, il lui est impossible d'oublier ce jour fatidique de l'un de ses plus sensationnels coups d'éclat.

« C'est dans la quiétude habituelle, d'un bel après-midi qui, comme chaque jour, devait se dérouler sans histoire, que, comme il en avait souvent pris la mauvaise habitude, une fois de plus, Jean-Edern Hallier a poussé la porte d'un de nos salons privés, loué par la direction d'une firme de cycles hollandais, afin d'en assurer la promotion et la vente dans l'Hexagone.

Devant une assistance médusée, grimpant sur le podium, pris d'une envie soudaine de haranguer cette calme assistance interloquée, Jean-Edern ne s'est pas privé de leur prouver que, comme sur Paris Première, il possédait un réel talent d'animateur. Soucieux peut-être de reprendre un salutaire exercice physique, absent de son hygiène de vie depuis des lustres, il n'hésitera pas à demander au PDG Batave, ahuri, de lui faire cadeau de l'une de ces rutilantes "petites reines" en présentation.

Le soir même, en son absence et à ma stupéfaction, le généreux directeur m'a chargé de remettre gracieusement de sa part, à Jean-Edern, l'un des superbes vélos de sa firme. »

La suite, vous la connaissez… Clap de fin à Deauville, le 12 janvier 1997, peu avant 8 heures (ou à 9 heures selon un document officiel) ! Sans « Palme d'or » (3) !

Ainsi s'écrit l'Histoire !

« L'air de Paris… »

(Francis Lemarque, « On ne saura jamais », Polydor, 1957)

Après avoir quitté Ledoyen, divorcé en l'an 2000, aujourd'hui avec Thierry Cambier – son fidèle ami de plus de trente ans –, et devenue l'une des vedettes de la téléréalité culinaire sur M6, Ghislaine veille au succès de son restaurant parisien Les Petites Sorcières (près du lion de la place Denfert-Rochereau). Selon le vieil adage hédoniste qui préconise « qu'il n'y a pas de mal à se faire du bien », surtout en ayant la possibilité d'arrondir financièrement ses fins de mois, souvent difficiles dans la jungle actuelle de la restauration nationale.

Grâce à quelques fructueux « petits ménages » culinaires au cœur de la France gourmande, Ghislaine, en compagnie d'une galaxie de quelques-uns de ses pairs et confrères cuisiniers étoilés, estampillés téléréalité et surmédiatisés par « l'étrange lucarne », à savoir le petit écran – ces nouvelles icônes populaires, comme Joël Robuchon, Alain Ducasse, Cyril Lignac, Jean-François Piège, Guy Martin, Philippe Etchebest, Jean Imbert, Frédéric Anton, le pâtissier Pierre Hermé, etc. –, a rejoint et intégré, vaste programme, la jeune agence Brand and Celebrities.

Pour utiliser et connaître les tarifs d'animation de l'une de ces « nouvelles icônes culinaires », ainsi baptisées par cette agence d'*influence et celebrity marketing* (sic), n'hésitez pas à consulter Internet.

De son côté, Jean-Paul Arabian ouvrira, lui, le premier « restaurant-fleuriste » parisien, « Pierre » au Palais Royal. Ensuite, quatre années sabbatiques lui permettront de souffler un peu, et même de jouer souvent à la pétanque avec son grand copain Henri Salvador et de taquiner le cochonnet, aux Invalides, tous les dimanches, avec ses amis, les journalistes Jean-Jacques Bourdin, Jean-Pierre Dartois, l'animateur Jean-Jacques Laffont et l'humoriste Jean-Marie Bigard.

Aujourd'hui, et depuis quelques années, à Montparnasse, en reprenant rue de Chevreuse, une institution légendaire du quartier historique de Montparnasse, le réputé restaurant Le Caméléon, mimétisme oblige, Jean-Paul « repique au truc ». Dans cette rue d'un exceptionnel calme parisien, où une grande terrasse comble clients et fumeurs invétérés, Jean-Edern Hallier aurait très probablement apprécié cet endroit. Exposés dans l'une des salles, ses tableaux de sportifs en action, expertisés par son ami Jean-Pierre Camard, assurent sa présence.

Enfance vénitienne oblige, pour de belles et bonnes assiettes à prix raisonnables, deux excellents cuisiniers transalpins de la province des Pouilles assurent la découverte et la dégustation d'une authentique et superbe cuisine italienne. Pour les inconditionnels – ils sont nombreux –, tranché épais, doré au beurre, déglacé au vinaigre de vin, le foie de veau de lait sous la mère est toujours à la carte. C'est le savoureux et incontournable « plat vedette » maison.

Surtout ne le répétez pas (trop). Comme Jacques Brel l'a si bien chanté dans sa « quête », Jean-Paul attend toujours d'être récompensé d'une première et inaccessible étoile. Hélas ! Celle distribuée « avec parcimonie… » par le centenaire, fantaisiste, redoutable et versatile Guide Michelin… Vous rassurerez Jean-Paul, si vous parvenez à lui expliquer que, dans cette nébuleuse galaxie imprimée annuellement, son excellent Caméléon en mérite plus d'une. Et, pour terminer, citons l'historien grec (Thucydide, né à Athènes vers 465 avant J.-C.) : « L'histoire est un perpétuel recommencement. » Comme dans les années 1970 où, comme c'est toujours la règle, ayant, sans aucune explication, subi la perte de la troisième étoile de son mythique Maxim's, Louis Vaudable, son heureux propriétaire, avait déclaré à la presse, donc au monde entier : « Chez moi, les étoiles sont dans la salle. »

Jean-Paul ayant fermé son Caméléon, vraisemblablement pour vivre d'autres aventures gourmandes et parisiennes, une fois encore, laissons à l'immense Charles Aznavour les mots de la fin, et de « la faim » !

« Il faut savoir quitter la table lorsque l'amour est desservi. »
(« Il faut savoir », Éditions musicales Djanik)

Et, avec des paroles plus optimistes, composées pour le final du spectacle de son ami Thierry Le Luron, au théâtre Marigny, l'émouvante chanson « Nous nous reverrons un jour ou l'autre » (Charles Aznavour, Jacques Plante, Éditions musicales Djanik) :

Le hasard souvent fait bien les choses
Surtout quand on peut l'aider un peu
Une étoile passe, et je fais un vœu
Nous nous reverrons un jour ou l'autre
Si Dieu le veut.

Thierry, mon ami, ajoutait : « J'y tiens beaucoup. »
Moi aussi !

Avec le Caméléon d'Arabian (6, rue de Chevreuse, 75006 Paris) s'est écrite la belle histoire de la restauration parisienne !

« Propos d'un schrorrer (pauvre) : – Ce que je reproche à Dieu, c'est qu'il donne la nourriture aux riches et l'appétit aux pauvres... »

Dans « Popeck raconte... »,
Encyclopédie internationale du rire, Éditions Mengès

« Un garçon très peu doué, il faut bien le dire, est placé en stage dans un grand restaurant parisien. Le maître d'hôtel lui inculque l'art et la manière de recevoir, la façon élégante de servir, bref, toute l'éducation qu'il faut à un garçon de restaurant pour être stylé. Un soir, un monsieur bien habillé se présente au seuil du restaurant, le garçon l'accueille et le client, certes précieux mais capricieux, demande à ce stagiaire jugé confirmé :
– Dites-moi, mon garçon ! Est-ce que vous servez des nouilles ici ?
Et le garçon avec un grand sourire lui répond :
– Monsieur, nous servons tout le monde. »

Encyclopédie internationale du rire, Éditions Mengès

Un cordonnier libanais, sur le coup de midi, met cette pancarte à la porte de son échoppe :

« Parti déjeuner. Si pas de retour à 17 heures, parti également dîner. »

Encyclopédie internationale du rire, Éditions Mengès (adapté)

« Les hommes sont conservateurs après le dîner. »

Ralph Waldo Emerson (1803-1882), *Essays: Second Series*

---

(1) François Roboth est un journaliste connu pour avoir un goût prononcé pour le bon, le beau, le vrai... Il est juré du concours national Meilleur ouvrier de France (catégorie Maître d'hôtel, du service et des arts de la table). Ancien rédacteur en chef du Maxiguide Hachette France, coauteur de *22,* un album photo pittoresque sur les événements de Mai 1968 en France, avec Jean-Pierre Mogui, et d'ouvrages de la célèbre collection des « Guides Bleus », il a également signé les textes de l'album photo de Claude Perraudin, *Le Père Claude* (préfaces du chef Pierre troisgros, à Roanne, et de Jean-Loup Dabadie, de l'Académie française) et plusieurs contributions dans les livres *Hallier, l'Edernel jeune homme, Carré d'art :*

Jules Barbey d'Aurevilly, lord Byron, Salvador Dalí, Jean-Edern Hallier, Bodream ou Rêve de Bodrum, Piano ma non solo, 88 notes pour piano solo et *Improvisation* so *piano.* Sur France 3, François Roboth fut enfin l'animateur, pendant cinq ans, de « Quand c'est bon ? Il n'y a pas meilleur ! », seule émission culinaire en direct à la télévision.

(2) Omar Foitih, ami et collaborateur d'Hallier.

(3) Dans *Les Puissances du mal,* paru en septembre 1996, quelques mois seulement avant sa mort, Hallier évoque ce vélo à deux reprises. D'abord, dans une confidence datée du 15 mars 1996 où il écrit : « Deauville, je t'aime, ville morte où je roule lentement à bicyclette sur un vélo hollandais dont il faudrait peindre les pneus en blanc. Avec la canne blanche, un deux-roues pour aveugle, c'est une grande première. Funambule entre les ombres, je ne suis tombé que trois fois jusqu'à ce jour – et quand je roule sur les planches, je distingue vaguement les formes humaines qui s'écartent avec une sorte de frayeur sacrée. Et puis, j'ai fait une grande excursion. Ça roulait tout seul le long de la plage. Quelle était cette délicieuse légèreté ? Que se passait-il ? La mer était en pente. Quand je voulus revenir, je compris que si j'avais cru descendre, c'est tout simplement le vent qui m'avait poussé. Après je le prenais de face, je zigzaguais. Comme en voilier, je tirais des bords pour avancer. » Dans la journée du 4 mai 1996, il assure également qu'il lui est de plus en plus difficile de rester à Paris. « J'ai passé toute la semaine, raconte-t-il, au bord de cette Manche que je longe à vélo tous les soirs. »

Appendice

« À tous les livres, je préfère un simple cahier de notes ; mais il faut bien faire aussi des livres pour que le cahier n'en devienne pas un. »

Jean Rostand (1894-1977), *Pensées d'un biologiste*

« L'appendice a ceci de bon que, par son contenu strictement documentaire, il inspire confiance aux lecteurs sérieux. On trouve souvent dans un appendice le meilleur d'un gros ouvrage. En général, même, je choisis les livres à appendice : je vais droit à l'appendice, je m'en tiens là et m'en trouve bien. Autrefois, je disais la même chose des préfaces. Passé l'époque des aide-mémoire et découvrant les préfaces des éditions critiques, je m'y suis complu et attardé, si bien que voici venu l'âge des appendices. Cette économie culturelle, quels qu'en soient les immenses défauts, vous donne quand même le droit de mépriser le système *digest* comme une bouillie infantile. Si j'examine la chose en tant qu'auteur, je reconnais à l'appendice l'avantage de nous épargner les efforts de style, morceaux de bravoure et autre littérature, mais sur ce point je ne suis pas regardant. »

Jacques Perret (1901-1992),
Rôle de plaisance

« Ce petit appendice (à transformations !) que nous autres hommes nous avons au bas du ventre, qu'il nous fait faire de folies ! »

Paul Léautaud (1872-1956), *Propos d'un jour*

« Ma drôle de relation fusionnelle avec Jean-Edern »

Par Vierasouto (alias Camille M.)[1]

« La première fois que j'ai rencontré Jean-Edern, c'était naturellement à La Closerie des Lilas. Débarquant de ma province avec deux amies, nous y prenions un verre à une heure creuse de l'après-midi quand j'ai reconnu l'écrivain plus célèbre pour sa bonne mine que pour ses livres ; j'étais cependant fan du très culte *Bréviaire pour une jeunesse déracinée.* Assis à une table face à une jeune femme en larmes, il était hors de question de le déranger pour lui demander, en bonne midinette, un autographe, j'ai alors prié le serveur de faire signer mon menu... Quelques instants plus tard, Jean-Edern est venu s'enquérir de qui avait demandé cet autographe et le contact s'est noué pour un an et des poussières d'une drôle de relation fusionnelle, à se voir tous les jours quand on s'ignorait la veille... Comme d'autres avant et après moi, il m'a fait le même plan écrivain par osmose : tu écriras pour mon journal, tu seras ma muse, tu publieras grâce à moi, etc.

Je me souviens de moments irréels comme la publication pirate de *L'Idiot international,* un groupe d'anges gardiens de l'Edernel débarquant, jubilatoires, une nuit à La Closerie avec, sous le bras, des piles de numéros de *L'Idiot* arrachés à la censure, les gens applaudissaient et faisaient signer leur journal... Les réunions du comité de rédaction place des Vosges, dans cet appartement trop grand occupé par son épouse, son fils et lui, qui ne se rencontraient quasiment jamais. Au premier étage, par la rue de Birague, la petite chambre-bureau à tout faire de

Jean-Edern occupait un coin modeste de l'appartement, presque exigu, avec sa bibliothèque, ses dossiers, ses manuscrits ; il écrivait assis sur son lit, penché sur un guéridon dans un chaos organisé. Pendant des mois, je l'ai raccompagné chez lui dans mon Austin Métro après l'immuable dîner à La Closerie. Incapable de rester seul, il ne demandait pas autre chose qu'une dame de compagnie. Très vite le soir, la vodka aidant, il dormait debout. Contrairement à la légende, Jean-Edern travaillait, se couchait et se levait tôt, vers cinq ou six heures du matin, pour une revue de presse dans un café.

Jean-Edern avait l'art d'imposer à des inconnus de la veille une intimité immédiate, du jour au lendemain, on ne se quittait plus. Je crois que tout au long de sa vie, il a eu le même petit cercle d'intimes, sauf que le casting changeait, mais ça ne changeait sans doute pas grand-chose à la distribution des rôles et à la permanence des rituels. Les rendez-vous, les appels téléphoniques compulsifs, les repas partagés, les vacances ensemble… Quand le réalisateur Marco Ferreri a prêté à Jean-Edern un appartement à Bonifacio lors d'un Pâques frisquet, j'ai fait partie des bagages-cabine. Omar, son indispensable confident, suivant en bateau pour transporter une moto dont on se servirait à peine. Découragés par la météo, nous n'avons jamais dépassé Bastia… La vie sur l'île de Beauté était quasi monacale, lever à cinq heures, petit déjeuner place du marché dès potron-minet, écriture tout le jour du *Foucauld,* apéritif place Saint-Nicolas, dîner sur le vieux port au restaurant, dûment négocié pour savoir qui allait payer… À dix heures du soir, postés tous les trois comme des pensionnaires d'une maison de retraite devant une télé démodée, le scandaleux sans scandale piquait rapidement du nez, ronflant bruyamment… Alors Omar, paternel, disait à plusieurs reprises : « Jean-Edern, vaaa te coucher… », mais il refusait comme un enfant qui joue les prolongations au salon, niait s'être endormi, peur de dormir seul de l'autre côté du couloir... Quand ma mère a débarqué dans l'appartement familial, elle a viré Jean-Edern. Il n'en revenait pas, moi non plus, je n'aimais pas ma mère... Contrit, il s'est replié dans un hôtel sur les Quais d'où il s'est évadé un jour pour Calvi sans payer sa note... Il était malhonnête par jeu, radin par principe, tricheur par vocation, aimant plus que tout la transgression : un faux voyou, un vrai aventurier, un enfant terrible cherchant inlassablement les limites à dépasser et ceux qui lui tiendraient tête.

"À s'éloigner des rivages enchantés de l'enfance, on n'en devient pas pour autant le prince de l'existence." (Jean-Edern Hallier, *Bréviaire pour une jeunesse déracinée*). »

(1) Extrait d'un texte intitulé « Le retour virtuel de l'Edernel » et déposé en janvier 2007 sur son blog par Vierasouto, alias Camille M., une femme qui assure avoir eu durant un an environ une relation quelque peu privilégiée avec Hallier.

« J'ai pour ami Jean-Edern Hallier[1] »

Par Jacques Séguéla[2]

« J'ai pour ami Jean-Edern Hallier. J'ose le dire. Le bon ton est plutôt de le vouer aux gémonies. Il le mérite, ayant tout fait pour se faire haïr. Mais je préfère essayer de le comprendre en espérant qu'un jour lui aussi comprendra. Le phénomène n'est pas mineur. Le romancier le plus bruyant aujourd'hui, c'est lui, non pas qu'il soit lu, mais il est entendu. Qui d'autre de son clan a cette permanence dans les journaux, les radios, les télés ? Dommage que l'œuvre soit inégale. Or, sans elle, comment l'auteur peut-il exister bien longtemps ? Et, pourtant, l'émergence est la même si les écrits n'y sont pas. C'est que Jean-Edern est mort d'une petite phrase de Mitterrand, prononcée trop tôt ou trop vite. En le sacrant « meilleur écrivain de sa génération », le politique a condamné l'écrivain au chef-d'œuvre. Infligée par un président de la République, quelle peine lourde à traîner ! Le drame d'Hallier a été d'être célébré avant d'avoir écrit son *Voyage au bout de la nuit.* Mais peut-on avoir du génie sur commande, fût-elle présidentielle ? Alors, le talent paralysé ressuscite autrement. De doute en doute, le fou Hallier s'est mis à composer, en direct sur les médias, le roman qu'il ne pouvait écrire. Sa réalité dépasse la fiction. Signe révélateur, le public qui voulait le clouer à sa plume (et quelle belle plume) s'est accroché à sa gueule (et quelle grande gueule). Et le succès médiatique est là, incontestable autant que détestable. Preuve supplémentaire que nous l'avons quittée, la galaxie Gutenberg, pour naviguer dans les cieux troubles d'un univers hypothétique. Que Jean-Edern, assoiffé de presse jusqu'à l'overdose, affiche ses manques en pugilats débiles – et bien évidemment, il choisira les Journées de Nice pour son apothéose – n'enlève rien au constat. De Chateaubriand, son modèle, Mme de Staël disait déjà : "Depuis qu'il n'entend plus parler de lui, il croit qu'il est sourd."

Mais la jeunesse s'est un jour reconnue en lui comme elle s'identifiait dans le mentor de Salammbô. Préférer un Hallier à un Gracq ou à un Tournier prouve le glissement de notre culture. Pourquoi nier ? Nier l'évidence, c'est être niais. Le spectacle Hallier est le music-hall de notre vérité, la quotidienne mise en scène de nos interdits modernes. Jean-Edern me le confessera lui-même : "Au fond, je mérite une chaire à la Sorbonne, de la provocation considérée comme un des beaux-arts de notre modernité." »

---

(1) Extrait du livre du publicitaire intitulé *Fils de pub* et paru chez Flammarion en 1984.

(2) Jacques Séguéla est un publicitaire français né en 1934, qui a cofondé en 1970 l'agence RSCG (absorbée par le groupe Havas en 1996). Il a en grande partie dirigé les stratégies de communication des campagnes de MM. François Mitterrand et Lionel Jospin pour l'élection présidentielle. S'il s'est longtemps défini comme « mitterrandien », il n'a cependant jamais fait partie du Parti socialiste et s'est souvent gardé de faire preuve de trop d'aveuglement coupable au sujet de M. Mitterrand, de ses forfaits et de ses turpitudes. Officier de la Légion d'honneur depuis 2008, il est l'époux de la fille de M. Georges Vinson (1930-2013), qui fut député Fédération de la gauche démocratique et socialiste du Rhône, puis maire de Tarare, dans le Rhône, et médecin personnel de M. Mitterrand, avant d'être nommé par ce dernier ambassadeur aux Seychelles et en différents pays (cf. note no 4, p. 217).

La Maison Blanche à Montpellier (1)

Par Jean-Edern Hallier

« La Maison Blanche s'élève gracieuse, femme aux dentelles et frou-frou de ses terrasses au milieu d'un parc de verdure.

Tilleuls, buis, cèdres du Liban, marronniers, hautes vasques gorgées de fleurs.

Raffinement, discrétion, calme et cuisine des dieux.

Luxe, luxe, luxe, qualité perdue et soudain retrouvée... l'ombre des trompettes joue au mur.

Les fantômes de Charlie Parker et de Louis Armstrong hantent les coursives.

Balcons soutenus par les hauts et grands piliers de l'imaginaire.

Soyons tous des Christophe Colomb de cette merveilleuse caravelle de bois blanc, échouée parmi les herbes montpelliéraines.

Embarquons-nous : le grand voyage immobile nous attend. »

---

(1) Texte inséré dans la plaquette de présentation de l'hôtel-restaurant La Maison Blanche, à Montpellier. L'établissement sera détruit en 2018 et remplacé par un programme des logements.

Lettre ouverte de Pierre Lellouche (1)

annonçant son retrait de la vie politique

« Madame, Monsieur,

Mes Chers Concitoyens,

Après mûre réflexion, j'ai pris la décision de mettre fin à ma vie politique et de ne pas me représenter aux élections législatives des 11 et 18 juin 2017.

À bientôt soixante-six ans, et après vingt-quatre années de mandat à l'Assemblée nationale, j'ai la conviction que le moment est venu pour moi de laisser la place à la génération suivante.

Ce besoin de renouvellement, que je ressens pour moi-même – j'y reviendrai plus loin – est aussi clairement partagé par les Français.

En quelques mois, la campagne présidentielle de 2017, précédée par celle des primaires, aura, à tort ou à raison, donné aux Français l'occasion de "remercier" deux anciens Présidents de la République (M. Hollande compris), et trois anciens Premiers ministres (MM. Juppé, Valls et Fillon). Même si le "jeunisme" – comme l'apprendra très vite M. Macron – n'est pas en soi le remède magique aux défis considérables que connaît notre pays, il n'en demeure pas moins que la percée fulgurante de ce candidat de trente-neuf ans confirme clairement une aspiration à changer en profondeur notre classe politique.

Cette aspiration, qui se retrouve aussi dans la très forte poussée des extrêmes, traduit l'effondrement des partis dits "de gouver-

nement" qui, à Droite comme à Gauche, avaient structuré jusqu'ici toute la vie politique française depuis la fondation de la Ve République en 1958.

À présent, Républicains et Socialistes représentent ensemble à peine plus du quart des suffrages exprimés, moins que les 40 % que "pèsent" ensemble les voix de l'extrême droite et de l'extrême gauche.

Nous sommes donc face à une profonde décomposition du paysage politique traditionnel, qui vient en fait sanctionner quatre décennies d'échecs et d'immobilisme.

Fondamentalement, depuis la fin des années 1970, les gouvernements successifs, de Droite comme de Gauche, n'ont pas su ou pu adapter la France aux défis de la mondialisation. Nous le payons concrètement dans la lente, mais apparemment irrémédiable destruction de l'outil industriel français, dans le chômage de masse, nos déficits structurels depuis quarante ans. Appauvrissement et déclassement sont par ailleurs aggravés par une immigration de peuplement subie (depuis 1976), porteuse de l'impossible défi de la place de l'Islam dans notre société et, désormais, par une situation sécuritaire, à l'intérieur comme à l'extérieur, d'une dangerosité sans précédent.

C'est la conscience de ces défis, déjà apparus il y a trois décennies, et de leurs prolongements probables, qui m'avait conduit, au début des années 1990, à m'engager en politique aux côtés de Jacques Chirac, puis à me présenter à la députation en 1993. J'avais alors quarante-deux ans et l'espoir d'apporter ma pierre au redressement (déjà !) de notre pays, alors que le monde sortait de la guerre froide et que commençait une phase nouvelle, plus chaotique de l'Histoire.

Je crois avoir beaucoup travaillé, avec passion, au service de la France. À l'Assemblée, dans le cadre de plusieurs missions qui m'ont été confiées par deux Présidents de la République et bien sûr au gouvernement, où j'ai eu l'honneur de servir sous Nicolas Sarkozy.

Lois contre les violences racistes ou homophobes, implantation de la fusion thermonucléaire ITER à Cadarache, représentant spécial de la France en Afghanistan, chargé de l'Europe et du Commerce extérieur au gouvernement et, bien sûr, le service quotidien de mes concitoyens dans ma circonscription : les tâches toujours passionnantes n'ont pas manqué et ont littéralement consumé mon existence.

Mais le résultat, hélas, n'est pas au rendez-vous. J'ai le sentiment d'avoir ma part de responsabilité dans l'échec collectif de ma génération, de n'avoir pas su relever le pays.

L'heure est donc venue de quitter la scène, après une campagne présidentielle que j'ai vécue comme une épreuve épouvantable des mois durant, comme la preuve définitive de la décomposition de nos partis politiques traditionnels.

Malgré tous les efforts, en privé d'abord, puis en public (j'avais même proposé le 1er mars dernier, il y a deux mois, la mise en œuvre de l'article 7 de la Constitution, afin de reporter les élections, donnant ainsi à la Droite et au Centre, le temps de désigner un autre candidat), le candidat Fillon, fort de son élection à la Primaire, entouré d'une camarilla de fidèles et d'ambitieux, conforté par l'hystérie d'une secte, a tenu à toute force à aller jusqu'au bout du suicide personnel et collectif.

Ainsi donc, un "gaulliste" ou prétendu tel, poursuivi par la justice, se présentait jusqu'au bout au poste de Président de la République, pourtant garant de nos institutions et de l'indépen-

dance de l'autorité judiciaire (article 64 de la Constitution). Ainsi donc, on dénonçait à la vindicte publique, la justice et la presse, en invoquant complots et autre "cabinet noir" le tout avec la complicité passive de dirigeants qui ont laissé faire.

Comme je le craignais, ce qui devait arriver est arrivé.

Aujourd'hui, au lendemain de ce calamiteux 23 avril, ma famille politique, désormais sans chef ni ligne politique, en est réduite à appeler à voter Emmanuel Macron, dénoncé hier comme l'héritier du désastre hollandais, pour faire battre Marine Le Pen.

Cette posture présentée comme hautement morale (face à 8 millions de Français, tous fascistes, bien sûr !) est pourtant aussi incohérente que périlleuse pour l'avenir.

Comment, en effet, appeler à voter Macron le 7 mai et faire campagne, dès le lendemain, contre lui, aux législatives ? Et pourquoi ne pas aller au bout de la logique et retirer simplement tous nos candidats en faveur des siens, voire le rejoindre purement et simplement comme certains s'apprêtent déjà à le faire ?

Au-delà, qui ne voit que cette alliance LR-PS que l'on veut étendre jusqu'aux mélenchonistes (mais sans Jean-Luc Mélenchon lui-même) ferait demain du FN la seule force d'Opposition dans le pays ?

Une fois encore, mes arguments au Bureau politique et ailleurs n'ont pas été entendus, comme je n'avais pas été entendu quand j'avais tenté, en février-mars, d'éviter le désastre annoncé du maintien de la candidature Fillon. Mieux, certains appellent à exclure de nos rangs tous ceux qui n'appelleraient pas à voter Macron…

Qu'ils ne s'en donnent pas la peine pour ce qui me concerne. À soixante-six ans, malgré toute l'expérience que j'ai pu acquérir dans les domaines qui sont les miens, malgré mon désir toujours intact de continuer à servir mon pays, je suis arrivé à la conclusion que ma présence, tant parmi les Républicains qu'à l'Assemblée nationale, ne fait guère plus sens.

Je rendrai donc ma carte aux Républicains, comme je rendrai mon investiture dans la première circonscription de Paris, à la Direction provisoire de ce qui reste de mon parti.

Je veux dire très simplement ma gratitude aux militants qui m'ont accompagné au fil des années et qui travaillent jusqu'à ce jour à mes côtés. Remercier aussi mes concitoyens qui m'ont toujours fait confiance, cinq mandats durant, et les autres aussi. Je veux leur dire combien j'ai été fier de les représenter tous, dans toute la mesure de mes forces et de mes compétences.

Le moment est venu de passer le témoin. Je souhaite bonne chance à mon successeur et au-delà, à la génération suivante à qui il reviendra de reconstruire un parti de Droite moderne et puissant, dont la démocratie française a besoin.

Je m'efforcerai pour ma part de continuer à être utile à mon pays, mais simplement comme un citoyen engagé.

Avec toute ma gratitude et mes sentiments les plus cordiaux.

Pierre Lellouche »

(1) Lettre ouverte rendue publique le 26 avril 2017 par cet ancien ministre, député de Paris, conseiller de Paris, délégué des Républicains aux Affaires internationales, qui fut élu de 1993 à 2009 puis de 2012 à 2017, dans le Val-d'Oise puis dans deux circonscriptions parisiennes. Une initiative digne, hélas fort rare parmi les membres des partis LR-UDI, qui ne peut qu'être saluée et mise au crédit de son auteur.

Lettre adressée par un jeune diplômé notaire à Emmanuel Macron, nouveau président de la République française (1)

P... Z... *Paris, le 28 juin 2017*

XX, rue Claude-Gellée

Paris

Monsieur Emmanuel MACRON

Présidence de la République

Palais de l'Élysée

55, rue du Faubourg-Saint-Honoré

Paris

LR

Monsieur le Président,

Votre élection est en grande partie la conséquence de la loi pour la croissance, l'activité et l'égalité des chances économiques qui a montré aux Français votre courage et votre détermination à affronter les corporatismes qui, en France, profitent de l'incapacité de l'État de faire régner la justice et préserver l'intérêt général.

En ce qui concerne l'accès à la profession de notaire, le gouvernement Valls a freiné l'application de la loi et en a dénaturé l'esprit, aboutissant à ce qu'à ce jour moins d'une dizaine de notaires Macron ont été nommés sur les 1 650 recommandés par l'Autorité de la concurrence...

Le Conseil d'État lui-même, pourtant très conservateur, a dû censurer en référé, à ma demande, un arrêté d'application de la loi Macron signé de Messieurs Valls et Urvoas...

Pour vous montrer à quel point vous êtes porteur d'une immense espérance, je me permets de vous évoquer ma situation personnelle.

(...) J'ai fait mon droit à Paris-II et suis titulaire du Diplôme Supérieur du Notariat.

Néanmoins, je suis chômeur puisque je ne suis pas fils de notaire et ne peux pas créer mon cabinet de notaire puisque l'État protège la rente et les privilèges des notaires installés, dont le revenu annuel moyen en France est de l'ordre de 200 000 euros, et bien davantage à Paris.

Totalement conscient du blocage de la situation, Pôle emploi m'incite à me reconvertir pour pouvoir acheter un camion et ainsi créer mon entreprise. J'ai donc passé mon permis poids lourd qui m'autorise à conduire des semi-remorques de 44 tonnes et suis en formation pour obtenir la qualification de transporteur routier de marchandises.

Néanmoins, pensez-vous qu'il soit rentable pour la Nation de m'avoir instruit et formé pendant tant d'années pour qu'au final je conduise des camions ???

Alors que je dispose de tout ce qui est nécessaire pour me permettre de m'installer notaire, sortir du chômage et servir les Français : la compétence, une assurance professionnelle, des bureaux à Paris, de la trésorerie d'avance...

Et que je pourrais même pratiquer des prix plus avantageux pour mes clients puisque je ne recherche absolument pas le niveau délirant de rentabilité des cabinets de notaires actuellement installés...

Aussi j'attends de vous la libéralisation totale de l'accès à la profession de notaire pour me permettre de m'installer notaire à Paris où je suis né, où j'ai toujours vécu et où je dispose de bureaux pour travailler. Ce qui, en outre, mettra le droit français en conformité avec le droit de l'Union européenne qui proclame une liberté d'établissement néanmoins dépourvue de toute portée pratique en France.

À diplôme égal, égalité des chances économiques.

Avec mes remerciements anticipés pour votre attention,

Je vous prie de croire, Monsieur le Président, en l'assurance de ma gratitude et de mon respectueux dévouement.

---

(1) Ce courrier n'a pas suscité de réponse et est donc resté « lettre morte »... Essentiellement parce que son contenu est accablant et témoigne de l'ampleur de l'incurie française. Mais six mois plus tard, sous l'impulsion manifeste de l'Élysée et de l'Autorité de la concurrence, la loi Macron se mettait enfin à entrer en vigueur.

Décret présidentiel français ou l'art de s'assurer que l'on n'est jamais si bien servi que par soi-même…

Laurent Fabius se penche vers François Hollande
lors d'un congrès et lui demande, complice :
– À quoi penses-tu ?
– Je ne pense pas, je m'ennuie.
– C'est drôle, on dirait que tu penses quand tu t'ennuies !

Anonyme (histoire rapportée par *Sélection du Reader Digest*)

Décret nº 2016-1302 du 4 octobre 2016 relatif au soutien matériel et en personnel apporté aux anciens présidents de la République française (publié au *Journal officiel*, le 5 octobre 2016)

Le Président de la République,

Sur le rapport du Premier ministre,

Vu la Constitution, notamment son article 37

Décrète :

Art. 1er – Pendant les cinq années qui suivent la cessation de leurs fonctions, il est mis à disposition des anciens présidents de la République sept collaborateurs permanents, dont un directeur de cabinet du niveau de la catégorie A supérieure et trois collaborateurs du niveau de la catégorie A, ainsi que deux agents de service appartenant à la fonction publique ou rémunérés par l'État sur contrat.

Art. 2 – Au-delà des cinq années qui suivent la cessation de leurs fonctions, il est mis à la disposition des anciens présidents de la République trois collaborateurs permanents, dont un directeur de cabinet du niveau de la catégorie A supérieure et un collaborateur du niveau de la catégorie A, ainsi qu'un agent de service, appartenant à la fonction publique ou rémunéré par l'État sur contrat.

Art. 3 – Il est mis à disposition des anciens présidents de la République, en adéquation avec les personnels mis à leur disposition, des locaux meublés et équipés, dont le loyer, les charges et les frais généraux sont pris en charge par l'État.

Art. 4 – Les anciens présidents de la République bénéficient, pour leurs activités liées à leurs fonctions d'anciens chefs de l'État, de la prise en charge des frais de réception ainsi que des frais de déplacement, pour eux-mêmes et un collaborateur.

Art. 5 – La gestion du dispositif de soutien matériel et en personnel apportés aux anciens présidents de la République est assurée par les services du Premier ministre, à l'exception de leurs véhicules et de leurs conducteurs qui sont mis en place par le ministère de l'Intérieur dans le cadre de la protection dont ils bénéficient.

Art. 6 – Pour les anciens présidents de la République investis avant le 15 mai 2012, le délai de cinq années mentionné à l'article 1er court à compter de la date d'entrée en vigueur du présent décret.

Art. 7 – Le Premier ministre, le ministre de l'Économie et des Finances et le ministre de l'Intérieur sont chargés, chacun en ce qui le concerne, de l'exécution du présent décret, qui sera publié au Journal officiel *de la République française.*

Fait le 4 octobre 2016

Par le Président de la République François Hollande

Le Premier ministre Manuel Valls

Le ministre de l'Économie et des Finances Michel Sapin

Le ministre de l'Intérieur Bernard Cazeneuve(1)

(1) Cet apparatchik du PS qui fut maire d'Octeville puis de Cherbourg, donna l'impression, en montant dans la capitale française et en accédant aux sphères ministérielles, d'avoir enfin trouvé sa vocation d'entrepreneur de pompes funèbres : il sonna fort bien le glas jusqu'à la fin du piteux mandat de M. Hollande. Mais il ne restera sans doute dans quelques mémoires qu'en raison du double surnom que lui donna Francis Terquem, l'un des ténors du barreau parisien : « pédale à roulette (...) qu'on appelle suce debout tellement il est petit ». Un de ces traits d'humour vache et très imagé qui ridiculise à vie, après avoir fait des gorges chaudes au sein du Tout-Paris comme dans bon nombre de hammams et autres jacuzzis, *urbi et orbi*, sur l'ensemble du territoire français...

Vichy sert à occulter le pétainisme. La République peut engendrer le pire (1)

Par Gérard Miller (2)

> « Au fond, c'est comme si Vichy était toujours la capitale morale de la France, puisque tous ceux qui ont eu partie liée avec le régime sont toujours en place. »
>
> Jean-Edern Hallier, *Les Puissances du mal*

Aujourd'hui, ceux qui, comme moi, avaient écrit des livres dans les années 1970 pour que le pétainisme sorte des placards de l'amnésie nationale et soit enfin reconnu comme une abjection franco-française, doivent-ils du coup se réjouir ? De fait, loin de rester une référence mineure de notre vie politique, Vichy est désormais entré dans le débat public et presque plus personne n'hésite à rappeler « ces heures noires qui souillent à jamais notre histoire », pour reprendre les mots de Jacques Chirac dans son discours du Vél'd'Hiv. Seulement voilà, pour le psychanalyste que je suis, il y a tout de même quelque chose qui cloche dans l'usage actuel du signifiant « Vichy »... Oh, un détail, mais qui témoignerait plutôt de la persistance du refoulé pétainiste : Vichy est évoqué à tout bout de champ, c'est-à-dire un peu trop souvent.

On le sait encore mieux depuis Freud, à qui veut éviter un sujet embarrassant s'offrent deux options : ne pas en parler (c'est la plus classique) ou en parler tout le temps (c'est la plus habile). Et voilà bien le paradoxe ! Pendant des années on a minimisé le rôle de l'État français et occulté l'horreur pétainiste derrière l'horreur nazie, mais maintenant que le pétainisme apparaît en plein jour dans toute son abomination, en faisant de Vichy l'injure suprême, en réduisant Vichy aux déportations et aux camps, on éclipse cette autre dimension fondamentale du phénomène : le pétainisme ne se réduit pas à Vichy, il existait avant et il a perduré après. Dans ces conditions, le nouvel objectif à atteindre dans le débat public me semble être le suivant : mettre en évidence ce qui persiste du pétainisme dans la politique française, sans que cela signifie pour autant qu'Éric Besson soit l'enfant caché de Laval ou que Brice Hortefeux, tel Doriot ou Rebatet, aspire à exterminer ses semblables.

Certes, l'occupation allemande a permis au pétainisme d'aller jusqu'au bout de sa logique infâme, mais le pétainisme n'est pas *a priori* incompatible avec la République. La Révolution nationale a éliminé bon nombre de dirigeants républicains, mais jusqu'en 1942 en tout cas, elle est loin d'avoir consacré le triomphe des émules français d'Hitler. D'ailleurs, tout comme la droite est aujourd'hui pilonnée par l'extrême droite avec laquelle elle ne se confond pas, les plus violentes attaques subies par le gouvernement de Pétain jusqu'à l'occupation de la zone libre venaient de ceux qu'on a appelé les fascistes parisiens. Ce n'est pas un hasard si presque tous les membres du gouvernement de Vichy occupèrent des postes stratégiques sous la IIIe République et si des services entiers de l'État passèrent de la République à Vichy. Pétain, c'était la France, celle pour laquelle 90 % des Français auraient voté en 1940 s'il y avait eu un référendum ! Et la continuité sera tout aussi patente à la Libération. Quand on lit les annuaires des grands corps de l'État de 1939 à 1946, c'est avec effarement qu'on découvre que, pour l'essentiel, les mêmes sont restés à la même place.

Eh bien, ce qui est vrai pour les hommes ne l'est pas moins pour les idées. Le pétainisme continue d'imprégner les discours, à travers cette façon indigne de parler des étrangers comme d'une menace, cette nostalgie de la France des clochers, cette exaltation du travail comme rédempteur, cette peur des pulsions, ce pistage des dangers, ce mépris des intellectuels, cette haine des fonctionnaires... Authentiques démocrates, nés pour la plupart après-guerre, blancs comme neige de toute compromission avec le fascisme, nos gouvernants, qui n'ont sans doute jamais lu les appels et messages du vieux maréchal, ne sont pas nécessairement mauvais, certainement pas criminels, tout au plus ignorants...

« Tant qu'il y aura encore quelques vivants, ces terribles vieillards qui tiennent la loi du silence, on ne saura presque rien. L'immense *omerta* nazie plane encore sur notre fin de siècle. Ils ont goudronné la mémoire. Ils ont gagné puisqu'on ne saura rien d'eux avant la prescription – et qu'après on les aura oubliés. Pas forcément, la mort est une intarissable bavarde, qui ne prononce que des paroles définitives. »

Jean-Edern Hallier, *Les Puissances du mal*

(1) Extrait d'un article paru dans *Le Monde* du 15 octobre 2010.

(2) Professeur au département de Psychanalyse de l'université Paris-VIII.

Politicien, un bon métier [1]

Par Christian Lambert [2]

Il faut commencer jeune. À seize ans, vous vous engagez dans un parti, car la France vit sous le régime des partis politiques qui sont autant d'états dans l'État. On en comptait 408 en 2013, y compris les micro-partis créés à des fins financières cachées.

Donc vous commencez en faisant preuve de dévouement au parti. Vous collez des affiches, vous distribuez des tracts, vous participez aux réunions et vous applaudissez très fort l'orateur du parti. En même temps, il n'est pas interdit de faire quelques études – une licence ès lettres par-ci, une licence en droit par-là –, mais ce n'est pas absolument nécessaire. Il vous faut avant tout être un bon et fidèle militant du parti et, un beau jour, vous êtes nommé assistant d'un parlementaire du parti, ce qui vous met le pied à l'étrier dans des conditions confortables et, un autre jour, un jour divin, vous êtes désigné par le parti pour être le candidat dans une circonscription électorale gagnable. Vous devenez député avec 7 200 euros bruts d'indemnités mensuelles, plus une indemnité représentative de frais de mandat de 5 840 euros par mois, plus à votre disposition, 9 618 euros par mois pour le salaire de vos collaborateurs. Sur ce point, il faut quand même être prudent.

Si votre ambition se limite à être un simple député, vous ne risquez pas grand-chose à engager comme collaborateur votre épouse, votre enfant ou l'amie préférée du moment [3], mais si vous êtes choisi pour remplir les fonctions de ministre et, à plus forte raison, si vous êtes candidat à la présidence de la République, alors, là, vous risquez d'avoir des ennuis. Des journalistes subventionnés – ils sont très nombreux à l'être – étaleront votre nom en première page, expliquant que vous avez fait travailler votre épouse qui, en réalité, ne travaillait pas, tout en faisant semblant de travailler, que le petit dernier a été engagé alors qu'il était à la maternelle et que votre chère amie et assistante était analphabète. Quoi qu'il en soit, la tentation est là : 9 618 euros par mois, ce n'est pas rien. Le plus simple, pour éviter tous les ennuis, serait, réflexion faite, de supprimer purement et simplement ce crédit, ce qui ferait une économie de 9 618 euros multiplié par 925 parlementaires, soit 8,9 millions d'euros par mois et 12 fois plus en un an !

Toujours est-il que député, vous êtes au-dessus du panier. Un jeune diplômé de l'ENA ne reçoit à sa sortie de l'école que 1 690 euros par mois, une vraie misère, dans un pays où le salaire médian est de 1 772 euros par mois, alors qu'il est de 3 500 euros en Suisse !

Donc, soyez heureux, modeste, et prudent. Vous ferez ainsi un quinquennat, puis un autre, puis un autre encore et, si vous êtes élu questeur de l'Assemblée nationale, vous recevrez un supplément d'indemnité de 5 003,57 euros par mois, ce qui fera de vous un nabab démocratique, chargé notamment de veiller sur les indemnités de vos collègues, dans le sens d'un « ajustement » permanent.

Ceci étant, il est possible qu'après trois ou quatre quinquennats, le parti vous remercie de vos bons et loyaux services. Mais vous ne serez pas perdu pour autant. Vous aurez une bonne retraite et, si vous êtes bien considéré par le chef de l'État, vous pourrez, à votre demande, être nommé conseiller d'État ou conseiller à la Cour des comptes au tour extérieur. Comme beaucoup d'heureux gagnants vous auront précédé, vous n'aurez rien d'autre à faire que de percevoir le plus haut traitement de la fonction publique. On ne peut exclure non plus un séjour au Parlement européen, une très agréable maison de retraite où la plupart des emplois sont, paraît-il, fictifs.

Mais il est possible que l'ambiance austère de la Cour ou du Conseil ne vous plaise pas. Vous pourrez alors tenter la diplomatie. Le chef de l'État peut vous nommer ambassadeur, comme Caligula, empereur à Rome, avait nommé consul, en 38 après Jésus-Christ, son cheval favori. Caligula, il est vrai, n'était pas très sérieux. Il avait de multiples épouses. Il augmentait les impôts sans arrêt. Bref, il était fou et il fut assassiné. Ceci dit, loin de moi toute comparaison avec les temps contemporains.

Toujours est-il que Mitterrand nomma ambassadeur aux Seychelles son médecin de famille [4]. Là-bas, le sable des plages est d'une qualité exceptionnelle. Je déconseillerai Londres, Washington et Berlin, parce que l'ambassadeur dans ces capitales est un restaurateur qui doit recevoir sept jours sur sept, matin et soir, les ministres de passage, sous-ministres, fonctionnaires hors classe et présidents de quelque chose. Demandez plutôt Panama, aux multiples possibilités ou, mieux encore, Bandar Seri Begawan, parce que personne ne sait où se trouve ce pays, où il ne vous sera demandé que de jouer au golf avec le sultan local.

Mais, si finalement, vous avez l'âme sédentaire et que vous êtes membre du conseil général de votre département, vous pourrez être élu sénateur et retrouver une belle vie de parlementaire, jusqu'à quatre-vingt-dix ans et plus, comme Serge Dassault.

J'ai connu quelques-uns de ces heureux gagnants. C'était des parlementaires compétents, parfaitement honnêtes et lucides, dévoués à leurs électeurs. « Pourquoi, me disaient-ils, irions-nous contre le système ? On l'a trouvé. On ne l'a pas inventé. Ce n'est pas à nous de le démolir. »

Ainsi va la France éternelle, où l'on est en droit de se demander si, au fond, le peuple français n'est pas secrètement favorable à un régime qui s'accommode fort bien de la pagaille, de la tricherie, de l'échec en toute chose. C'est ce qu'on appelle la démocratie à la française. Dans ces conditions-là, ce régime peut durer encore très longtemps.

---

(1) Texte paru dans *Les 4 vérités hebdo* n° 1088, daté du 7 avril 2017.

(2) Ancien ambassadeur de France. Les chroniques de ce fin connaisseur du milieu politique français et de ses arcanes sont publiées depuis plusieurs années dans *Les 4 vérités hebdo*.

(3) La promulgation le 15 septembre 2017 des lois de moralisation de la vie publique est venue mettre un frein au « monstrueux népotisme » évoqué dans *Hallier, l'Edernel jeune homme,* paru en septembre 2016 chez Neva Éditions.

(4) Il s'agit de M. Georges Vinson, qui fut député Fédération de la gauche démocratique et socialiste du Rhône, puis maire de Tarare, dans le Rhône, et médecin personnel de M. Mitterrand (atteint d'une pathologie cancéreuse depuis 1979), avant d'être nommé par ce dernier ambassadeur aux Seychelles et en différents pays. Il passa quatre ans à la tête de l'ambassade de France à Bangkok en Thaïlande. Dans un article intitulé « Chasse présidentielle au Sénégal » paru dans *Causeur,* le 5 juillet 2010, Luc Rozenzweig précise que M. Vinson « se fit prendre la main dans le sac à faire copier par d'habiles faussaires thaïs le mobilier authentique XVIIIe de l'ambassade de France à Bangkok pour se l'approprier, et laisser les copies à son successeur »... Mobutu Sese Seko, dit « Léopard de Kinshasa », le président de la République du Zaïre, refusa en avril 1993 de l'accréditer comme ambassadeur. Ce qui, au passage, donne la pleine mesure du « profil » de l'individu dont l'une des filles est l'épouse du publicitaire Jacques Séguéla, auteur du slogan « La force tranquille », thème de campagne cher à M. Mitterrand, et de la fameuse phrase « Si à cinquante ans, on n'a pas de Rolex, on a raté sa vie. » Qu'on se rassure : nul n'a encore osé donner le nom de Vinson à un collège ou à un lycée sur le territoire français. Mais il existe à Tarare, commune de 10 000 habitants, deux équipements affublés de ce patronyme : un stade de tennis et un foyer « bonheur et bien-être » pour personnes âgées...

Ruban rouge

Laurence Vaivre-Douret à l'honneur

Au Cercle InterHallier, les décorations, quelles qu'elles soient, se rangent volontiers, comme les cravates, au vestiaire... Jean-Edern considérait que la Légion d'honneur ne se gagne qu'au champ d'honneur, qu'elle ne vaut qu'à titre militaire. Il n'était pas fils et petit-fils de généraux pour rien ! Mais il savait aussi que pareil principe, s'il ne tolérait guère *a priori* la moindre dérogation, pouvait, malgré tout, admettre des exceptions, au cas par cas, et sans doute se serait-il réjoui que l'une des membres du Cercle qui porte son nom, Laurence Vaivre-Douret, ait été nommée chevalier de la Légion d'honneur par décret du président de la République française du 30 décembre 2016 et se soit vu remettre en 2017 le fameux « ruban rouge » par Arnold Munnich, président d'Imagine, Institut des Maladies Génétiques, et ancien chef de service de génétique à l'hôpital Necker-Enfants Malades.

Professeur des universités en psychologie et psychologie du développement dès l'âge de trente-quatre ans, Laurence Vaivre-Douret ne s'est pas contentée d'enseigner à l'université Paris-Ouest – Nanterre, puis à l'université Paris-Descartes – Sorbonne-Paris-Cité, ou d'être directrice de recherche à l'Inserm (Institut national de la santé et de la recherche médicale)... Surmontant les séquelles d'un grave accident de la circulation automobile (1), qui ont entravé ses activités durant de longues années, elle a déposé des brevets et modèles dans le domaine de la prévention posturale et de l'éveil du bébé.

Faisant preuve d'un courage hors-norme et d'une détermination sans faille, elle est parvenue à s'inscrire dans la lignée des plus grandes figures de la neuropsychologie du développement en Europe. Les nouveaux outils standardisés d'évaluation neuro-développementale qu'elle a mis au point sont devenus aujourd'hui la méthode de référence de suivi des enfants dans de nombreux pays, de la Suisse à l'Uruguay, en passant par la Belgique, le Portugal, l'Espagne, le Canada, le Liban, le Mexique ou l'Argentine.

Au champ d'honneur de la recherche, Laurence Vaivre-Douret a même remporté, quelques jours après avoir reçu son « ruban rouge », une autre forme de distinction : elle a été accueillie par le ministère de l'Enseignement supérieur et de la Recherche, au Collège de France, en qualité de lauréate du prestigieux Institut universitaire de France.

(1) Accident du travail.

Dessin de Chaunu, qui figurait sur la plaquette donnée aux personnes qui se sont réunies au cinéma Mac-Mahon, à Paris, le 22 septembre 2017, le jour de l'enterrement de Paul Wermus.

In memoriam

Paul Wermus (1)

> « La mort de tout homme me diminue car je suis partie intégrante de l'humanité. Aussi ne demande jamais : "Pour qui sonne le glas ?" Il sonne pour toi. »
>
> John Donne (1572-1631), *Méditation,* XVII

Paul Wermus fut certainement le seul échotier de Paris reconnu et estimé de Jean-Edern Hallier. Voilà qui d'emblée vous pose son homme de presse... En tout cas, ce n'est pas un hasard si un ouvrage de l'un, *Petites blagues entre amis,* a été préfacé par l'autre. Et ce n'est pas un hasard non plus si les deux se témoignaient, dans la discrétion, une mutuelle et réelle considération.

Paul – le lecteur voudra bien admettre la légitimité de cette familiarité dès lors que Paul Wermus et l'auteur de ce livre se sont connus pendant plus de trente ans, ont travaillé ensemble au *Quotidien de Paris* puis à *France-Soir* durant près de deux décennies et ont été associés à diverses initiatives dans le domaine de la presse écrite – était un chroniqueur de la vie parisienne et française au jour le jour. À ce titre, il exerçait une activité hautement superficielle, mais avec élégance et, particularité rare, sans jamais faire preuve de malveillance. Il était un authentique professionnel de la superficialité et de la futilité. Ce qui lui valait parfois un certain mépris – plus ou moins dissimulé – de la part de confrères ou collègues journalistes convaincus que la rédaction de leurs articles relevait d'un exercice plus noble de leur métier, et souvent la jalousie – plus ou moins exacerbée – de nombreux plumitifs, devant une audience sans commune mesure avec la leur, les signes extérieurs d'une réussite mondaine plutôt brillante – de son propre aveu, Paul a toujours estimé préférable de faire envie plutôt que pitié – et un carnet d'adresses à faire pâlir de convoitise le secrétariat général de l'Élysée...

En vérité, Paul était profondément superficiel. C'est-à-dire qu'il savait parfaitement à quoi s'en tenir sur les limites vite atteintes de l'activité de chroniqueur et d'échotier, qu'il avait conscience de l'extrême vanité de cette superficialité et qu'il en jouait volontiers avec beaucoup de lucidité et un sens aigu de l'autodérision. Patrice Gelobter, autre homme de communication et de relations publiques, qui fut l'un de ses plus proches amis et de longue date de surcroît, pourra le confirmer, lui qui se rappelle comme si c'était hier le jour où il croisa Paul pour la première fois. « C'était, raconte-t-il, en janvier 1983 dans l'immeuble situé à l'angle de l'avenue Charles-de-Gaulle et de la rue Ancelle à Neuilly, où *Le Quotidien de Paris* venait de s'installer. Les portes de l'ascenseur devant lequel je me trouve s'ouvrent. Je vois alors Philippe Tesson (2) qui me dit en désignant son voisin de droite : "Patrice, ce garçon va compléter notre équipe. Il s'appelle Paul Wermus et viendra aérer notre journal !" »

Que de souvenirs avons-nous eus tous les trois en commun, étalés aussi bien durant les années Hallier que dans les temps les plus rapprochés ! Qu'il s'agisse de cette soirée où Paul nous avait invités à « casser la croûte » chez lui, dans son très bel appartement, rue de la Planche, à Paris, et s'était improvisé maître d'hôtel en nous servant quelques crus exquis, ou de ces dîners à la Bastille, chez Brigitte (Brigitte Menini), à La Cavetière, l'un de ces très rares établissements, aujourd'hui disparu, d'où se dégageait l'atmosphère du Paris éternel, sous le regard des artistes, parfois oubliés mais toujours mémorables, qui l'avaient fréquenté et dont les photos animaient chaleureusement les murs...

Il y a quelques années, Paul s'était ainsi laissé aller à cette réflexion : « Pour écrire un ouvrage qui ait un contenu et une portée, il faudrait que je me mette à une table de travail des heures d'affilée. Et cela, je ne le ferai pas... » Une confidence qui avait valeur d'aveu et de regret... Paul n'a donc pas écrit des pages de témoignage au sujet de Jean-Edern Hallier, ni un ouvrage de référence sur l'univers du music-hall ou des paillettes télévisuelles, ou encore sur les bizarreries d'une société vieillissante qu'il observait en flâneur, d'un œil amusé, et dont il n'était pas dupe. Mais il a donné l'exemple du courage – doublé d'un humour sombre – dont il sut faire preuve durant les derniers mois de son existence terrestre. Alors qu'il endurait de vraies souffrances, il eut, au cours d'un déjeuner en compagnie de Patrice Gelobter, chez Constant, rue Saint-Dominique, à Paris, cette feinte interrogation, sur un mode mi-sérieux mi-blagueur : « Patrice, combien coûte un pancréas tout neuf? »... Et surtout, oui surtout, cet esprit foncièrement libéral et tolérant laisse à tous ses amis l'inoubliable vision de son gracieux sourire.

---

(1) Invité à participer à la création du Cercle InterHallier le 1er mars 2017, le chroniqueur de presse écrite et animateur de télévision Paul Wermus (1946-2017) n'avait pu assister à la réunion, mais en était membre à part entière. Il avait bien connu Hallier, et pas seulement à l'occasion d'un déjeuner à La Closerie des Lilas...

(2) Philippe Tesson était alors le président du groupe Quotidien, spécialisé dans la presse quotidienne, qui publiait trois titres principaux *Le Quotidien de Paris, Le Quotidien du Médecin* et *Le Quotidien du pharmacien,* et emploiera jusqu'à environ 550 salariés au début des années 1990.

Patrice Guilloux (1)

« La mort n'est pas un événement de la vie.
La mort ne peut être vécue. »

Ludwig Wittgenstein (1889-1951),
Tractatus logico-philosophicus (1921)

Lettre de l'auteur adressée à la famille de Patrice Guilloux, membre-fondateur du Cercle InterHallier, et lue lors de la cérémonie religieuse célébrée le 21 juillet 2017, à l'occasion de sa disparition, en l'église de l'Immaculée Conception, rue du Dôme à Boulogne-Billancourt :

« Chers Marie-Hélène, Mireille, Cécile, Philippe et Roman,

À vous qui m'avez fait part que Patrice nous a quittés, je tiens à vous exprimer ma compassion et mon trouble. Je souhaiterais évoquer avec vous de nombreux souvenirs, mais j'ai beaucoup de peine à me pencher sur le passé... Je suis d'autant plus troublé quand je songe à ce trait d'humour noir qu'aimait faire Pierre Doris au sujet de son grand-père : "Un jour, mon grand-père s'est penché sur son passé. Comme il n'y avait pas de garde-fou, il est tombé dans l'oubli."

Cela ne saurait être le cas de Patrice, chers Marie-Hélène, Mireille, Cécile, Philippe et Roman, mais en ce qui me concerne, j'ai peur, d'une anecdote à l'autre, de tomber dans l'oubli de l'essentiel... Je suis donc plus que troublé, déstabilisé... Déboussolé ! Ce n'est pas un mot anodin. Si je suis déboussolé, c'est tout simplement parce que Patrice fait partie à mes yeux des hommes-boussoles. Être un homme-boussole, ce n'est pas rien et ce n'est pas donné à tout le monde. Il faut avoir en soi quatre points cardinaux et Patrice, détenteur de repères pour vous et tous ses proches, les a en lui.

Le premier point cardinal de Patrice, c'est, me semble-t-il, la curiosité. Un esprit de curiosité qui passe par la remise en question, très rapide et incessante, des apparences et que j'ai pu apprécier durant tant d'années. Oui, cette urgence de la curiosité, de la saine et haute curiosité chère à Albert Einstein, je pense qu'elle constitue une sorte de repère fondamental, aujourd'hui plus encore qu'hier, à notre époque de la télévision Bolloré à la sauce Hanouna.

Le second point cardinal qu'incarne Patrice, c'est la transversalité. Je ne sais pas si la transversalité s'apprend à l'École des arts et métiers, mais ce dont je suis sûr, c'est que Patrice n'a pas son pareil pour frayer avec des personnes de toutes conditions et issues de milieux et d'horizons fort différents. Et ce que je crois, c'est que la transversalité, avec l'ouverture et l'agilité d'esprit qu'elle implique, est un art et, dans une certaine mesure, un métier. En ce siècle où la verticalité, la civilisation du silo triomphent, où chacun vit souvent dans un environnement très délimité et formaté, les hommes de transversalité, capables d'établir les liens d'un silo à l'autre, me paraissent de plus en plus rares. Or ce sont eux qui constituent à mon avis l'un des rouages clés du fonctionnement apaisé des sociétés humaines.

Précisément, l'humaine société, le sens de l'humanité, c'est le troisième point cardinal de Patrice. Et cette humanité s'inscrit dans un humanisme qui n'a rien d'ingénu, de sottement naïf. En manager chevronné – ou plutôt losangé – du groupe Renault, Patrice a la conscience aiguë que les limites humaines peuvent être vite atteintes. D'une manière générale, c'est bien connu, l'être humain est capable du meilleur comme du pire, et c'est, hélas, souvent, dans le pire qu'il se montre le meilleur !

Le quatrième point cardinal de Patrice n'est pas le moindre. Mais c'est peut-être le plus surprenant puisqu'il s'agit de la spiritualité. Patrice s'est intéressé au mystère de l'Au-delà. Alors qu'il a œuvré dans un environnement très industriel, ô combien matérialiste, aux Fonderies du Poitou ou ailleurs, il a toujours su être sensible à l'Immatériel. J'ai pu le mesurer à au moins deux reprises, quand Cécile s'est lancée dans le long pèlerinage de Saint-Jacques-de-Compostelle et lors de la parution, il y a une douzaine d'années, d'un ouvrage consacré à Byblos, qui n'est pas seulement comme vous savez un lieu emblématique des folles nuits tropéziennes mais encore et surtout ce lieu millénaire dont le nom signifie le Papyrus, la Bible, Le Livre au sens le plus fort du terme...

Chers Marie-Hélène, Mireille, Cécile, Philippe et Roman, ne vous y trompez pas et n'en doutez pas. Patrice ne fait que passer d'une rive à une autre, que franchir la Seine pour rejoindre ses racines bourguignonnes puis des sphères où il va retrouver d'autres êtres-boussoles et bientôt sans doute des membres du Cercle InterHallier dont il a tenu, en dépit de son implacable maladie et de ses souffrances, à participer à la création ce 1er mars 2017. En fait, Patrice est toujours vivant. Pas du tout parce qu'il a été et qu'il reste un bon vivant, mais parce qu'il fait partie des grands vivants et qu'un grand vivant, ça ne meurt jamais. »

---

(1) Né le 10 avril 1942, à Lyon, et mort le 16 juillet 2017, à Rueil-Malmaison à la clinique Notre-Dame-du-Lac, Patrice Guilloux fait partie des membres-fondateurs du Cercle InterHallier créé le 1er mars 2017 à Paris. Manager, il a effectué son parcours professionnel au sein du groupe automobile Renault-Nissan-Mitsubishi, qui s'impose désormais comme le

premier constructeur automobile mondial. Du début des années 1970 jusqu'en 2002, homme de terrain et de stratégie, il fut en charge aussi bien de la direction de filiales et du contrôle de gestion dans les régions que des orientations à l'international et des études prospectives au siège du groupe dans les Hauts-de-Seine. Cet ancien élève de l'École des arts et métiers, qui fut le président de l'association des Jeunes Arts et Métiers, poursuivit sa formation de manager à l'université de Paris-Dauphine, à l'ICG/IFG Paris (Institut français de gestion, management stratégique), et à l'Insead (Institut européen d'administration des affaires) dans le cadre de sessions de longue durée.

La société des ingénieurs Arts et Métiers, l'association d'anciens élèves d'Arts et Métiers ParisTech, l'a honoré d'une palme de bronze placée sur sa tombe en Bourgogne.

Secrets de fabrication hallieriens

Voici un extrait d'un texte de Jean-Edern intitulé « Dessins de nuit » qu'il a écrit à l'occasion de sa première exposition, à Paris, « Les Français », organisée en septembre 1993 à la galerie Gérald Piltzer (reproduit pages 192 et suivantes dans *Le Refus ou la Leçon des ténèbres*).

« C'est avec une profonde humilité que j'entre dans le monde de l'art. J'ai dessiné jusqu'à l'âge de onze ans. Avant même d'apprendre à écrire, je dessinais comme tous les enfants. Mon premier alphabet se constituait d'une rangée de peupliers ployés par le vent. (...) Si j'ai arrêté de dessiner à onze ans, j'appartenais à une famille d'artistes. Mon père peignait à ses heures perdues, et ma mère dessinait adorablement – ce qu'on appelait en ce temps-là un art d'agrément, inculqué à toutes les jeunes filles d'un certain rang social. Très jeune, j'ai visité tous les grands musées du monde, guidé par mes parents. Je vécus l'art comme un conte de fées, où pinceaux et crayons étaient autant de baguettes magiques. (...) Le dessin ne peut pas se changer en mots. Pas plus que les mots ne peuvent se changer en dessin – à part la calligraphie, qu'elle soit arabe ou chinoise. Là-bas, il arrive que le signe se change en cygne, nageant sur l'eau dormante d'un étang, et laissant derrière lui un sillage imperceptible au bord d'un nénuphar. Tous mes livres, je les ai écrits à la main – à part le dernier que j'ai dicté, comme si j'avais eu l'obscur pressentiment de l'accident qui, l'année dernière, m'a coûté la vue. Curieusement, mon écriture simplifiée, quasi algébrique, ressemblait à de la calligraphie. Cela me permettait d'effacer à mesure ces touffes de mots inutiles – ce que Dante a appelé *la langue hirsute.* Pour ceux qui en ignoraient les codes, elle était illisible. Elle me rassurait.

J'étais fier de son élégance. Une fois de plus, elle indiquait que la forme et le fond sont inséparables. Or depuis que je n'écris plus, j'ai retrouvé dans le dessin une forme dont j'ignore le fond au même titre qu'en littérature, j'ai toujours estimé que la profondeur de la pensée passe obligatoirement par la beauté formelle, ce qui est inadmissible pour le jargon contemporain qui essaie de faire passer l'obscurité pour de la puissance intellectuelle. (...) Moi, je suis parti de rien, et je n'ai aucun passé sur quoi fonder mon avenir d'artiste. Cela ne signifie pas pour autant que je sollicite la pitié due aux handicapés. Bien au contraire, j'avance fièrement dans la voie nouvelle que je me suis tracée – et dont les traces précisément s'inscrivent à l'intérieur des cadres où chacun de mes dessins se constituent de leur vie autonome, où la douleur, la jouissance et la singularité se combinent. J'ai joué de ce qu'il convient d'appeler ici la fécondité de l'insuffisance. Par la force des choses, je me passe de l'académisme – sans tomber pour autant dans l'avant-garde esthétique, cette illusion de l'arrière-garde du snobisme de masse. Ou la dénonciation de l'art-marchandise. Je me suis constitué ma propre vision, qui est indépendante de ma vue – et c'est peut-être ce que l'on demande justement à un artiste, de ne pas représenter la réalité, mais de l'évoquer autrement. (...) Comment m'y suis-je pris ? Où ai-je échoué ? Au sens strict et inaccessible de la phrase profonde de Marcel Proust, dans sa préface au *Contre Sainte-Beuve,* « les grandes œuvres d'art sont les épaves naufragées de l'intelligence ». Quelles sont ces planches d'un frêle esquif brisé sur la rive ? Finalement seule la destruction compte, ce que tout dessinateur apprend peu à peu. Je n'ai jamais fait d'huile. Je ne sais pas manier le pinceau non plus, sauf celui que je trempe dans l'encre de Chine, ma petite mer noire de nuit liquide. Tous mes portraits sont faits ainsi, jetés sur la page au hasard, et puis agrandis au MagniLink, appareil qu'on appelle la Rolls Royce des aveugles, et qui permet de grossir cent fois le champ. Alors, sur mon écran je fignole. Lentement, je cerne et je protège le hasard des grands traits initiaux – ce qui relève de la main de Dieu, qui est en chacun de nous. C'est à la fois le désir attrapé par la queue et l'affinement précis au microscope – le mariage de l'âne et du virtuose. Comme je ne sais pas peindre, je me suis passé de tout autre pinceau que celui de la nuit qui remue au bout de mes doigts. Comme un prisonnier démuni de tout, j'ai inventé mes propres techniques – subtile combinaison du manque et de la nécessité. C'est ainsi qu'il arrive aux poètes de construire des palais avec des bouts de ficelle. J'utilise des bambous, dont les pointes écartées au cutter produisent trois lignes simultanées dont l'écartement change selon la pression de la main. C'était presque retrouver les fameux trois traits parallèles de Boucher ou Watteau. Cinq parfois, selon le travail du cutter, ou de la brisure naturelle du bois. J'ai aussi besoin de la vitesse, et que le tracé devienne sa fulgurance propre – en Japonais de Paris. Je me suis servi de tout, de brassées d'épis de blé pour couvrir les fonds, de roseaux, de houx, ou de fleurs séchées. Les vides, je les pastellise, ou je les remplis de taches d'aquarelles japonaises. Bref, j'ai inventé mon propre métier à mesure que je le mettais en pratique. La seule puissance d'originalité à laquelle je prétends, c'est celle de mes manques. J'étais l'artiste le plus démuni du monde. Il fallait donc que je substitue au blanc souci de ma toile une autre représentation. L'infini est infirme. »

Bibliographie

« Il doit exister un livre qui est la clé et le résumé parfait de tous les autres : il y a un bibliothécaire qui a pris connaissance de ce livre et qui est semblable à un dieu. »

« Emerson rejoint Montaigne quand il dit que nous ne devons lire que ce qui nous plaît, qu'un livre doit être une forme du bonheur. Nous devons tant à la littérature ! (...) J'ai ce culte du livre. (...) Je pense que le livre est un des bonheurs possibles de l'homme. On parle de la disparition du livre ; je crois que cela est impossible. »

« Ranger une bibliothèque, c'est exercer de façon silencieuse l'art de la critique. »

Jorge Luis Borges, *Fictions, Conférences* (« Le livre »)
et *Borges verbal* (de Pilar Bravo et Mario Paoletti)

« Tous ceux qui écrivent ne font pas un ouvrage ni tous ceux qui parlent, un discours. »

Joseph Joubert (1754-1824), *Pensées*

Œuvres de Jean-Edern Hallier

Les Aventures d'une jeune fille, Seuil, Paris, 1963

Le Grand écrivain, Seuil, Paris, 1963

Un rapt de l'imaginaire, contenu dans *Livres des pirates,* de Michel Robic, Union générale d'éditions, Paris, 1964

Que peut la littérature ? avec Simone de Beauvoir, Yves Berger, Jean-Pierre Faye et Jean Ricardou, présentation d'Yves Buin, Union générale d'éditions, Paris, 1965

Du rôle de l'intellectuel dans le mouvement révolutionnaire – selon Jean-Paul Sartre, Bernard Pinguaud et Dionys Mascolo, entretiens réalisés par Jean-Edern Hallier et Thomas Savignat, collection « Le Désordre », Éric Losfeld, Paris, 1971

Cet opuscule de 50 pages réunit trois textes extraits de *L'Idiot international* (septembre 1970) et de *La Quinzaine littéraire* (octobre et décembre 1970). Le premier est celui d'un entretien avec Jean-Paul Sartre par Jean-Edern Hallier et Thomas Savignat.

La Cause des peuples, Seuil, Paris, 1972

Chagrin d'amour, Éditions Libres-Hallier, Paris, 1974

Le Premier qui dort réveille l'autre, Éditions Le Sagittaire, Paris, 1977 (*Der zuerst schläft, weckt den aderen,* traduit en allemand par Eva Rechel-Mertens, Suhrkamp, Francfort, 1980)

Chaque matin qui se lève est une leçon de courage, Éditions Libres-Hallier, Paris, 1978

Lettre ouverte au colin froid, Albin Michel, Paris, 1979

Un barbare en Asie du Sud-Est, NéO – Nouvelles éditions Oswald, Paris, 1980

Fin de siècle, Albin Michel, Paris, 1980 (*Fin de siglo,* traduction de Francisco Perea, Edivision, Mexico, 1987)

Bréviaire pour une jeunesse déracinée, Albin Michel, Paris, 1982

Romans, Albin Michel, Paris, 1982 (réédition en un volume de *La Cause des peuples, Chagrin d'amour* et *Le Premier qui dort réveille l'autre*)

L'Enlèvement, Jean-Jacques Pauvert, Paris, 1983

Le Mauvais esprit, avec Jean Dutourd, Éditions Olivier Orban, Paris, 1985

L'Évangile du fou : Charles de Foucauld, le manuscrit de ma mère morte, Albin Michel, Paris, 1986 (*El Evangelio del loco,* traduction de Basilio Losada, Planeta, Barcelone, 1987)

Carnets impudiques : journal intime, 1986-1987, Michel Lafon, Paris, 1988

Conversation au clair de lune, Messidor, Paris, 1990 (*Fidel Castro Ruiz ile Küba Devriminin 32. yilinda 5 Temmuz 1990 ayişiğinda söyleşi,* Dönem, Ankara, 1991)

Le Dandy de grand chemin (propos recueillis par Jean-Louis Remilleux), Michel Lafon, Paris, 1991

La Force d'âme, suivi de *L'Honneur perdu de François Mitterrand,* Éditions Les Belles Lettres, Paris, 1992

Je rends heureux, Albin Michel, Paris, 1992

Les Français – Dessins, collection « Visions », Ramsay, Paris, 1993

Le Refus ou la Leçon des ténèbres : 1992-1994, Hallier/Ramsay, Paris, 1994

Fulgurances, « Aphorismes », Michel Lafon, Paris, 1996

L'Honneur perdu de François Mitterrand, Éditions du Rocher, Monaco ; Éditions Les Belles Lettres, Paris, 1996

Les Puissances du mal, Éditions du Rocher, Monaco ; Éditions Les Belles Lettres, Paris, 1996

Parutions à titre posthume

Journal d'outre-tombe : journal intime, 1992-1997, Michalon, Paris, 1998

Fax d'outre-tombe : Voltaire tous les jours, 1992-1996, Michalon, Paris, 2007

Préfaces

Mille pattes sans tête, de François Coupry (Éditions Hallier, Paris, 1976)

Je rêve petit-bourgeois, de Michel Cejtlin (Oswald, Paris, 1979)

Le Droit de parler, de Louis Pauwels (Albin Michel, Paris, 1981)

Les Icônes de l'instant, de Patrick Bachellerie (Centre de création littéraire de Grenoble, Grenoble, 1987)

Je défends Barbie, de Jacques Vergès (Jean Picollec, Paris, 1988)

Poèmes de sans avoir, de Jean-Claude Balland (Jean-Claude Balland, Paris, 1990) (1)

Petites blagues entre amis, de Paul Wermus (Éditions First, Paris, 1996)

Préface (posthume)

Pour des États-Unis francophones ! Entrons tous ensemble dans le Nouveau Monde, de Gabriel Enkiri (Éditions du Phare-Ouest, Lorient, 2013), préface intitulée « L'honneur de la gauche » et écrite en 1985

Postface (posthume)

Kidnapping entre l'Élysée et Saint-Caradec – « roman », de Gabriel Enkiri (Éditions du Phare-Ouest, Paris, 1999)

Jean-Edern Hallier est également l'auteur d'une pièce de théâtre intitulée *Le Genre humain* qu'il a écrite en 1975. Cette pièce fut à l'affiche du théâtre Cardin en 1976. Mais elle ne fut pas présentée au public. Hallier prit en effet la décision de la retirer de l'affiche avant la première. *Le Genre humain* fut donc joué « derrière le rideau » et en catimini durant 28 « représentations » (mise en scène d'Henri Ronse). Avec, notamment, Michel Vitold, José-Maria Flotats, Catherine Lachens, Marie-Ange Dutheil, Daniel Emilfork et Jean-Pierre Coffe dans la distribution.

L'écrivain a de surcroît laissé plus de 600 dessins, aquarelles ou gouaches : des croquis de voyages, des silhouettes et portraits de personnages, connus ou non, souvent tracés à l'encre de Chine, sous des titres parfois étonnants comme « Gobeuse de balivernes » ou « Arroseur d'idées reçues ». Une première exposition eut lieu du 9 septembre au 2 octobre 1993 à la galerie Gerald Piltzer, 78, avenue des Champs-Élysées, à Paris.

« L'"écrivain" : il en dit toujours plus et moins qu'il ne pense.
Il enlève et ajoute à sa pensée.
Ce qu'il écrit enfin ne correspond à aucune pensée réelle.
C'est plus riche et moins riche. Plus long et plus bref.
Plus clair et plus obscur.
C'est pourquoi celui qui veut reconstituer un auteur à
partir de son œuvre se construit nécessairement
un personnage imaginaire. »

Paul Valéry, *Tel Quel* (Littérature)

(1) Hallier est bel et bien l'auteur d'une « préface invisible » de *Poèmes de sans avoir*, de Jean-Claude Balland, paru chez Jean-Claude Balland, en 1990. Cette « préface invisible » est annoncée comme telle en couverture…

Ouvrages consacrés à Jean-Edern Hallier

François Bousquet, *Jean-Edern Hallier ou le Narcissique parfait,* Albin Michel, Paris, 2005

Petit ouvrage au titre prometteur mais au contenu décevant, publié par une maison d'édition qui, plus grosse que grande, ne paraît plus justifier son prestige d'antan...

Dominique Lacout, *Jean-Edern Hallier, le dernier des Mohicans,* Michel Lafon, Paris, 1997 ; avec Christian Lançon, *La Mise à mort de Jean-Edern Hallier,* Presses de la Renaissance, Paris, 2006

Pièces à l'appui, le second livre montre combien Hallier fut persécuté par F. Mitterrand et soulève plus d'une interrogation au sujet des circonstances de son décès, et surtout des heures et des jours qui ont suivi sa mort à Deauville, à 7 heures du matin le 27 janvier 1997, d'une chute de bicyclette sans témoin. Dans les minutes qui suivirent son décès, sa chambre d'hôtel aurait été fouillée et sa dépouille rapatriée à Paris par un ambulancier qui aurait mis sept heures pour effectuer 200 kilomètres. Entre-temps, son appartement parisien aurait également été pillé... Né en 1949, l'auteur est un ancien professeur de philosophie qui a publié plusieurs biographies. Il fut un ami de Léo Ferré (1916-1993).

Jean-Claude Lamy, *Jean-Edern Hallier, l'idiot insaisissable,* Albin Michel, Paris, 2017

Cette volumineuse biographie (plus de 600 pages) a bien sûr le mérite notable d'exister, même si elle ne fait sans doute que relever en grande partie d'une opération de marketing de la société d'édition. L'auteur a beau jeu de multiplier les preuves de la haine mesquine des ennemis de Hallier. Mais son entreprise se révèle au bout du compte décevante car désordonnée et inutilement touffue, ce qui, au passage, ne fait que ressortir combien elle est dépourvue d'éclaircissements, en particulier au sujet de l'enlèvement controversé de 1982 et de l'argent destiné aux opposants chiliens. Enfin, et surtout, la démarche reflète une incohérence majeure, à proprement parler rédhibitoire. Sitôt la parution, Sébastien Bataille, auteur de plusieurs biographies de musiciens pop rock n'a pas manqué de la signaler dans son blog, en assortissant son constat précis et irréfutable d'une remarque lapidaire : « Au dos de la couverture, Lamy dit qu'Hallier est de la race des grands écrivains. Mais en page 197, il dit qu'Hallier a failli être un grand écrivain. Faudrait savoir... »

Arnaud Le Guern, *Stèle pour Edern,* Jean Picollec, Paris, 2001

Premier ouvrage, au ton suggestif, d'un auteur breton, né en 1976, à l'époque où il se présentait comme « profondément bâtardé de langue française » et n'aimait « que le Beau, la Femme, l'outrance et l'écume brûlante. En un mot : l'art ».

Aristide Nerrière, *Chambre 215 : hommage à Jean-Edern Hallier en Corse,* collection « San Benedetto », La Marge-édition, Ajaccio, 2003

Poète, dramaturge, essayiste et romancier, l'auteur, né en 1951, a publié de nombreux autres ouvrages.

Anthony Palou, *Allô, c'est Jean-Edern... Hallier sur écoutes,* Neuilly-sur-Seine, Michel Lafon, 2007

Né en 1965 en Bretagne, l'auteur a été, dans les années 1990, un secrétaire particulier d'Hallier.

Béatrice Szapiro, *La Fille naturelle,* Flammarion, Paris, 1997 ; *Les Morts debout dans le roc,* Arléa, Paris, 2007

Béatrice Szapiro est la fille de Jean-Edern Hallier et de Bernadette Szapiro (†), la petite-fille de Béatrix Beck, qui obtint le prix Goncourt en 1952, et l'arrière-petite-fille du poète belge Christian Beck (1879-1916). Après sa lecture du livre *La Fille naturelle : pour Jean-Edern Hallier, mon père,* Sébastien Bataille a eu sur son blog, avec l'exemple édifiant d'une double page à l'appui, ce commentaire sans appel : « une daube sans nom, au "style" égocentrique, suffisant (voire débile), juste digne de la rubrique psy de n'importe quel titre de la presse féminine ».

Jean-Pierre Thiollet, *Carré d'art : Jules Barbey d'Aurevilly, lord Byron, Salvador Dalí, Jean-Edern Hallier,* avec des contributions d'Anne-Élisabeth Blateau et de François Roboth, Anagramme éditions, Paris, 2008 ; *Hallier, l'Edernel jeune homme,* avec des contributions de Gabriel Enkiri et de François Roboth, Neva Éditions, Magland, 2016

Sarah Vajda, *Jean-Edern Hallier : l'impossible biographie,* Flammarion, Paris, 2003

Intéressant ouvrage par l'auteure d'une thèse en trois volumes consacrée à Henry de Montherlant et soutenue à l'EHESS (École des hautes études en sciences sociales) et à l'université Sorbonne Nouvelle – Paris-III, d'un essai sur Romain Gary paru en 2008 et du livre plutôt réussi, *Claire Chazal : derrière l'écran,* paru en 2006 aux Éditions Pharos-Jacques-Marie Laffont au sujet de cette présentatrice de journaux télévisés et de « l'imposture TF1 », la chaîne française de télévision.

Thèses

Karim Djaït, « Littérature, contemporanéité et médias, étude d'un écrivain face à son siècle : Jean-Edern Hallier », thèse sous la direction d'Arlette Lafay, université Paris-XII – Paris Val-de-Marne, 1994 (thèse non autorisée à la publication, qui a fait suite à un mémoire de DEA – diplôme d'études approfondies – sous le titre « Étude d'un écrivain face à son siècle », sous la direction de Robert Jouanny, 1988).

Articles

Dans la fort volumineuse revue de presse consacrée, de son vivant comme de manière posthume, à Hallier :

Margereta Melen, « Den upproriske idioten i Paris » (article en suédois), *Moderna Tider,* n° 97, novembre 1998, p. 46-47

Jean-Pierre Pitoni, « Adieu l'ami ! : Jean-Edern Hallier », *CinémAction,* avril 1998, p. 54

Bruno Daniel-Laurent, « Sur Jean-Edern Hallier », *La Revue Littéraire,* Éditions Léo Scheer, Paris, 19 octobre 2005

« Jean-Edern Hallier : l'écrivain derrière l'histoire », *Le Journal de la Culture,* n° 17, novembre-décembre 2005, p. 12-42

Emmanuel Fansten, « Mitterrand, Hallier et moi », *Charles* n° 7 (Journalisme & Politique), Paris, octobre 2013

Article qui évoque la rencontre à Paris, début 1984, de Jean-Edern Hallier avec Joseph d'Aragon, alors étudiant en droit âgé de vingt-six ans.

« Edern. Le château de Jean-Edern Hallier à l'abandon », *Le Télégramme de Brest,* 18 avril 2016

Présenté comme « chronique d'une mort annoncée », l'article est consacré non seulement à La Boissière, la demeure « historique certes mais sans luxe ni architecture exceptionnels » qui a appartenu à la famille Hallier et est aujourd'hui abandonnée, mais encore aux soirées qui y furent organisées par Jean-Edern.

« Jean-Edern Hallier mord encore ! », entretien avec Jean-Pierre Thiollet, propos recueillis par Sébastien Bataille, *Causeur,* 8 octobre 2016

Alain Delannoy, Laboratoire Pôle U de l'université d'Orléans, « Jean-Edern Hallier, le "grand écrivain" face au pouvoir. La dialectique de l'engagement politique et de la composition d'une œuvre littéraire au travers de l'exemple de l'écrivain Jean-Edern Hallier », hal.archives-ouvertes.fr, 15 décembre 2017 ; « *La Méditation d'un passant aux bois sacrés d'Isé,* de Louis Massignon, *L'Évangile du fou,* de Jean-Edern Hallier, une perspective écocritique ». Perspective écocritique à partir des textes de Jean-Edern Hallier et Louis Massignon au travers de réflexions de William Cronon, Philippe Descola, Lynn White Jr et Pascal Bruckner, hal.archives-ouvertes.fr, 3 janvier 2018

Visant à « l'archive ouverte pluridisciplinaire », HAL se consacre au dépôt et à la diffusion de documents scientifiques de niveau recherche, publiés ou non, émanant des établissements d'enseignement et de recherche français ou étrangers, de laboratoires publics ou privés.

Autres ouvrages

« Les livres sont des maîtres pour les souvenirs,
ils les font marcher. »

Erri De Luca, *En haut à gauche*
(traduit de l'italien par Danièle Valin)

Laure Adler, *François Mitterrand : Journées particulières,* Flammarion, Paris, 2015

Guillaume Ancel, *Rwanda, la fin du silence,* préface de Stéphane Audoin-Rouzeau, Éditions Les Belles Lettres, Paris, 2018

Un témoignage important sur l'intervention de la France au Rwanda en 1994 qui vient, non seulement briser l'omerta d'une monstrueuse classe politique française issue des vieux partis, mais encore conforter la pertinence du contenu des ouvrages publiés il y a quelques années par Jean-François Dupaquier et par Jean-Paul Gouteux (1948-2006) au sujet d'un génocide commis avec la complicité de M. Mitterrand et de plusieurs autres hauts responsables français. Des extraits évocateurs ont été insérés dans la parution par le quotidien *Le Monde* d'une enquête de David Servenay, journaliste et auteur de deux livres consacrés à l'abominable « guerre noire » au Rwanda, sur « les derniers secrets de la France » (16, 17, 18 et 19 mars 2018).

Saint-cyrien, ancien officier de la Force d'Action Rapide, Guillaume Ancel a participé à l'intervention de l'ONU au Cambodge en 1992, à l'opération Turquoise en 1994, pendant le génocide des Tutsi au Rwanda, et aux missions en ex-Yougoslavie en 1995 et 1997. Il a quitté l'armée de terre en 2005.

Emmanuelle Auriol, *Pour en finir avec les mafias – Sexe, drogue, clandestins : si on légalisait ?,* Armand Colin, Paris, 2016

Dans cet essai singulier, qui témoigne d'une belle liberté d'esprit, l'auteure, professeure d'économie à l'université de Toulouse, ne se contente pas d'étudier les marchés interdits de la drogue, de la prostitution et des clandestins. Elle propose des solutions plus ou moins surprenantes et innovantes (légalisation, sanctions contre les clients, ventes de visas), combinées à des mesures répressives fortes. Des dispositifs qui, s'ils étaient mis en place, réduiraient sans doute au minimum les activités criminelles.

> « Les lecteurs studieux lisent dans les bibliothèques. »
>
> Georges Pérec, *Espèces d'espaces*

Olivier Babeau, *L'Horreur politique : l'État contre la société,* Éditions Les Belles Lettres, Paris, 2017

Partant du double constat de l'inaptitude de l'État à se réformer et de son incapacité à améliorer la situation économique, cet essai donne raison aux Français qui soupçonnent confusément l'existence d'un lien entre cette double impuissance et les dérives les plus scandaleuses des pouvoirs publics : clientélisme, influence déterminante de certains groupes de pression, fonctionnement autarcique des institutions, utilisation du pouvoir et des fonds publics au profit d'intérêts particuliers, décisions absurdes ou inefficaces… Mais il ne verse pas pour autant dans un « politique bashing » simpliste : en dépit de la défiance de plus en plus profonde et généralisée que justifie le système politique français, il tente d'esquisser quelques réponses concrètes à cette horreur politique qui mine la démocratie.

L'auteur est professeur à l'université de Bordeaux. Il fut expert engagé auprès de… M. Fillon dans le cadre de la campagne de l'élection présidentielle de 2017, après avoir été ancien conseiller de l'ancien Premier ministre en 2009.

Souleymane Bachir Diagne, *Bergson post-colonial. L'Élan vital dans la pensée de Léopold Sédar Senghor et de Mohamed Iqbal,* CNRS Éditions, Paris, 2011

Les notions bergsoniennes de vie, d'élan, d'intuition et de nouveauté irradient le contenu de cet essai… Même s'il n'en avait pas forcément conscience mais à force de sympathiser avec son moi – et un moi qui devait se réaliser dans l'action, Hallier était très bergsonien en fait.

Nicolas Baverez, *Chroniques du déni français,* Albin Michel/*Le Point,* Paris, 2017

Au fil de ses chroniques publiées dans *Le Point* puis dans le cadre d'une désormais banale opération de marketing éditoriale, l'essayiste recense les atouts et les faiblesses de la France face aux défis du XXIe siècle et évoque les voies du redressement national. Selon lui, l'élection présidentielle de 2017 était la dernière occasion pour le pays de se relancer.

François Bayrou, *Abus de pouvoir,* Plon, Paris, 2009

Un livre dont Jean-Edern Hallier aurait sans doute apprécié le contenu. Par-delà une mise en cause cinglante et sans appel de Nicolas Sarkozy, son auteur y dénonce l'abandon du modèle républicain, le culte de l'argent, le choix d'une société d'inégalités, le renoncement à ce qui faisait la force et l'originalité de la France dans le monde.

René Beaupain, *Regards d'un métèque en Météquie,* Les impliqués Éditeur, Paris, 2014 ; *Le Palais Garnier,* Éditions BoD, Paris, 2018

Docteur ès sciences naturelles de l'Université de Paris et ancien chercheur au Centre national de la recherche scientifique (CNRS), l'auteur rappelle dans le premier ouvrage que le territoire français fut un « très grand pays de culture pianistique, instrumentale et musicale » et, en des pages que certains « décideurs » feraient bien de prendre la peine de lire, met l'accent, arguments irréfutables à l'appui, sur « une situation stupéfiante d'autodestruction culturelle ». Le second *opus* est un florilège des spectacles de la troupe de la Réunion des théâtres lyriques nationaux (RTLN) à Paris de 1945 à 1971. Doté d'illustrations évocatrices, ce remarquable document patrimonial permet notamment de garder en mémoire des décors et des mises en scène qui ont contribué au rayonnement de la France dans le monde.

Hélène Bekmezian, *J'irai dormir à l'Assemblée nationale : les secrets du Palais-Bourbon,* Grasset & Fasquelle, Paris, 2017

Claude Bourg, *Femme et chef d'entreprise,* collection « Un homme et son métier », Robert Laffont Éditeur, Paris, 1975

L'auteure fut la plus jeune PDG de France et dirigea la grande entreprise d'intérim qu'elle fonda. Elle commença par vendre des assurances en porte à porte, puis dans la rue l'ancêtre de *Charlie Hebdo,* ce genre de petit journal qu'on présentait alors aux passants en disant : « Vous n'avez rien contre les jeunes ? » Bon nombre de réflexions contenues dans cet ouvrage de référence sont d'une « Edernelle » actualité…

Mathias Bernard, *Histoire politique de la Ve République : de 1958 à nos jours,* collection « U », Armand Colin, Paris, 2008

Harold Bernat, *Le Néant et le politique : critique de l'avènement Macron,* collection « Pour en finir avec », Éditions l'Échappée, Paris, 2017

Dans cet ouvrage au ton caustique et quelque peu désabusé, l'auteur, agrégé de philosophie né en 1975, se refuse à croire, face à l'arrivée d'Emmanuel Macron au pouvoir, à la disparition des clivages profonds, à la fin des oppositions radicales… Il ne parvient pas à concevoir que la politique traditionnelle, avec ses usages, ses rouages et ses mirages, telle que l'a connue et subie Hallier, puisse relever de l'histoire ancienne et que, en 2017 et sur le territoire français, le XXIe siècle ait enfin commencé.

Pierre Birnbaum, *Où va l'État ?,* Éditions du Seuil, Paris, 2018

Sociologue et historien, l'auteur est professeur émérite à l'université Paris I – Panthéron-Sorbonne.

Maurizio Bettini, *Contre les racines,* collection « Champs actuel », Flammarion, Paris, 2017

L'auteur, professeur de philologie classique à l'université de Sienne, se plaît à rappeler que la pureté supposée d'une culture, tout comme celle de la langue française, n'existe pas, n'a jamais existé et n'existera jamais.

Mathieu Bock-Côté, *Le Nouveau régime : essais sur les enjeux démocratiques actuels,* collection « Papiers collés », Éditions du Boréal, Montréal, 2017 ; *Le Multiculturalisme comme religion politique,* Éditions du Cerf, Paris, 2016

Des ouvrages essentiels à la compréhension de notre époque, où l'auteur, sociologue québécois né en 1980, pointe du doigt ce qu'il considère comme la « soumission » au multiculturalisme.

Luc Boltanski et Arnaud Esquerre, *Enrichissement : une critique de la marchandise,* collection « NRF Essais », Gallimard, Paris, 2017

Selon ces deux sociologues, « l'exploitation du passé » est devenue l'une des principales sources de richesses du capitalisme occidental et le patrimoine s'impose comme un enjeu politique, économique et social. Un discours auquel Hallier aurait sans doute d'autant plus volontiers souscrit qu'il l'a largement devancé dans ses divers écrits.

Michel Braudeau, *Place des Vosges,* Éditions du Seuil, Paris, janvier 2017

Livre de souvenirs où l'auteur, critique littéraire, romancier et traducteur, se déclare convaincu qu'« on a sans doute beaucoup médit d'Hallier et sans doute pas assez… » et se met à raconter qu'en 1973, après être parti pour le Chili avec de l'argent récolté en France afin de secourir les victimes de Pinochet, le « borgne fourbe » Hallier aurait dilapidé une partie des fonds « en hôtels coûteux d'où il téléphonait aux résistants qui se cachaient sous de faux noms en les appelant par leurs vrais noms » et qu'il serait revenu à Paris « auréolé d'une image d'aventurier » et avec un portefeuille encore bien garni. Parce qu'il aurait été convaincu que Braudeau était à l'origine de la révélation de cette malversation, Hallier aurait également passé un contrat sur sa tête avec un tueur à gages, mais se serait ravisé après avoir appris qu'un procureur de la République avait été alerté de la menace… L'ouvrage est publié dans la collection « Fiction et Cie », ça veut tout dire !

Patrick Buisson, *La Cause du peuple,* Perrin, Paris, 2016

Pourquoi, depuis quarante ans, la France traverse-t-elle une crise politique, sociale et morale sans précédent ? Comment sont advenus le règne de l'idéologie, le déni du réel, la trahison du peuple par les élites ? Et nous faut-il nous résigner au déclin ? Pour répondre à ces questions cardinales et découvrir le pouvoir de l'intérieur, voici le livre tant attendu, selon son éditeur, de Patrick Buisson, le conseiller privilégié et controversé de Nicolas Sarkozy à la présidence de la République. Une chronique riche en révélations parfois cruelles et souvent cocasses sur les coulisses de l'Élysée. Une analyse aiguë, puisant dans l'histoire, chez Saint-Simon et Tocqueville comme chez Péguy et Bernanos, des contresens et des dérives de la classe dirigeante. Un appel, enfin, à une grande politique conservatrice de droite renouant avec le catholicisme social. Témoignage sur la déliquescence du pouvoir et contribution au débat public, ce livre est censé ne laisser personne indifférent.

Historien et politologue, Patrick Buisson fut le conseiller en communication du président de la République française de 2007 à 2012, après avoir contribué de manière déterminante à l'élection du candidat Sarkozy.

Edmund Burke (1729-1797), *A Vindication of Natural Society,* M. Cooper, Londres, 1756 (Cengage Gale, Farmington Hills, Michigan, 2009) ; *Reflections on the Revolution in France,* 1790

Dans le premier ouvrage, ce célèbre homme politique et philosophe irlandais dresse ce constat tout à fait pertinent, applicable à M. Mitterrand : « Le pouvoir ôte progressivement de l'esprit toute vertu humaine » (Power gradually extirpates from the mind every human and gentle virtue). Dans le second figure une autre phrase que les gouvernants français devraient certainement méditer : « Un État qui ne se donne pas les moyens de changer se prive des moyens de se conserver » (A State without the means of some change is without the means of its own conservation).

« J'ai toujours imaginé le paradis comme une sorte de bibliothèque. »

Jorge Luis Borges, *Fictions*

Anna Cabana, *Un fantasme nommé Juppé,* Stock, Paris, 2016

Ouvrage consacré à cet ancien délinquant né en 1945 et à une forme d'imposture française que, toute honte bue, il a longtemps incarnée. L'auteure est une jeune présentatrice pour la chaîne israélienne i24news, après avoir été rédactrice en chef politique du *Journal du dimanche,* grand reporter au *Point* et journaliste à *Marianne.*

Caton (pseudonyme d'André Bercoff), *De la reconquête : « Pour vaincre la gauche, il faudra se débarrasser de la droite »,* Fayard, Paris, 1983

Ouvrage dont la parution s'inscrivit dans le cadre d'une manipulation politique orchestrée par l'entourage de M. Mitterrand. Présenté comme « un grand dirigeant de la droite », un mystérieux Caton jeta un beau pavé dans la mare avec ce violent pamphlet contre son propre camp. Le livre eut du succès, et son auteur finit par faire son *coming out* sur le plateau de Bernard Pivot. Les téléspectateurs eurent la surprise de découvrir qu'il ne s'agissait pas d'un dirigeant de la droite mais d'André Bercoff, un journaliste alors étiqueté à gauche. Jacques Attali, conseiller de François Mitterrand, reconnaîtra plus tard qu'il s'agissait d'une manœuvre politique orchestrée par sa cellule à l'Élysée. Comme André Bercoff avait craint que sa voix soit reconnue par ses confrères journalistes, c'est un certain François Hollande, membre de cette cellule et alors notoirement inconnu, qui fit la promotion du livre à l'antenne de France Inter…

Gilbert Cette, en collaboration avec Philippe Aghion et Élie Cohen, *Changer de modèle,* Odile Jacob, Paris, 2014

Dans cet ouvrage qui a obtenu le prix Zerilli-Marimo de l'Académie des sciences morales et politiques, il est notamment souligné que, sur le territoire français, « les réformes n'ont pas encore été réellement mises en œuvre de façon ambitieuse » et qu'en tout état de cause, « elles sont restées très timides ». Les auteurs soulignent qu'« il y a eu de petites touches positives comme avoir entamé la réforme des professions protégées via la loi Macron ». « La réforme est encore timide, insistent-ils, mais indiscutablement, elle va dans la bonne direction. Il faut absolument augmenter l'univers concurrentiel des actuelles professions protégées, comme c'est le cas dans d'autres pays. »

Suzanne Citron (1922-2018), *Le Mythe national : l'histoire de France revisitée,* collection « L'Atelier en poche », Éditions de L'Atelier, Paris, 2017

Il s'agit d'une réédition, précédée d'une préface. Une étude critique des manuels d'autrefois, des non-dits et des angles morts qui faussent le plus souvent l'histoire « de France » lorsqu'on tend à la réifier, même avec les meilleures intentions. Gaulois, Francs et Capétiens sont décortiqués, leurs images décapées. À rebours des conceptions identitaires, l'ouvrage fourmille d'exemples et d'analyses qui font de l'histoire de France moins une évidence à raconter ou à glorifier qu'un objet historique au fond comme un autre, à déconstruire souvent, à interroger toujours. Une démarche que les historiens ne peuvent que partager. L'auteure, historienne réputée, fut l'épouse de l'éminent biographe et érudit Pierre Citron (1919-2010) qui fut notamment professeur à l'université Sorbonne Nouvelle – Paris-III.

Joshua Cohen, *Votre message a été envoyé,* traduction d'Annie-France Mistral, Le Nouvel Attila, Paris et Rayol-Canadel-sur-Mer, 2018 (*Four New Messages,* Graywolf Press, Minneapolis, 2012)

Par un auteur né en 1980, une « autopsie » en quatre courts romans des dérives du monde contemporain à travers quelques-uns de ses épiphénomènes les plus marquants : Internet et l'horreur numérique, McDo et la *junk food* (ou « malbouffe »), la pornographie et… les ateliers d'écriture, dont la vogue semble même atteindre les universités les plus obscures des États américains les moins en vue. Des pages qui offrent une réflexion sur l'art et parfois l'impasse de l'artiste, avec des phrases du genre : « On est la première génération du rien, on n'a rien sur quoi écrire et personne pour nous lire, tout le monde est trop occupé à se technologiser. »

Philippe Cohen-Grillet, *Jean-Pierre Raffarin, fulgurances & platitudes,* Éditions Le Bord de l'eau, Lormont, 2003

Né à Paris en 1973, l'auteur, journaliste et écrivain réputé pour sa plume acérée, a connu Hallier alors qu'il était étudiant en droit et en sciences politiques. Il a été un jeune chroniqueur de l'émission du « Jean-Edern's Club » diffusée sur la chaîne Paris Première. Il est membre du Cercle InterHallier.

Sandrine Colas, *La Pratique du rêve lucide,* Anagramme éditions, Paris, 2001 (Club du livre, 2002, puis sous le titre *Le Rêve lucide,* Anagramme éditions, Paris, 2006)

Un livre à succès qui s'appuie sur les expériences des grands maîtres de l'École du rêve lucide. Présenté comme « général de l'armée des Rêves » au dos de la couverture de *L'Évangile du fou,* Hallier était bel et bien un essayiste romancier et, à sa manière, un expert ès rêve lucide…

Sandrine Colas est l'un des pseudonymes de l'auteur de *Hallier, l'Edernel jeune homme.*

Georges Corm, *La Nouvelle Question d'Orient,* Éditions La Découverte, Paris, 2017

Une analyse sans concession de la politique étrangère de la France par un éminent spécialiste de l'histoire du monde arabe (qui ne cache pas sa consternation face à des « erreurs de calcul » souvent majeures).

Michèle Cotta, *Comment en est-on arrivé là ? Histoire d'un chaos politique,* Robert Laffont, Paris, 2016

Recueil de réflexions d'une observatrice aguerrie de la vie politique qui concerne le mandat de M. Hollande à la présidence de la République française, et sa fin pathétique, dans la logique de ses débuts ratés.

Paul-Marie Coûteaux, *Traité de savoir disparaître à l'usage d'une vieille génération,* Michalon, Paris, 1998

Diplomate de formation et énarque, l'auteur, né en 1956, est un essayiste qui a été conseiller dans différents cabinets ministériels et parlementaire européen.

« Si je pouvais toujours lire, je ne sentirais jamais le besoin de société.
Y ai-je regret ? Hum ! – "L'homme ne me ravit pas[1]",
et seulement la femme – par moments. »

George Gordon Byron, dans *Mémoires de Lord Byron,*
traduction de Louise S. Belloc.

(1) « Quelle œuvre que l'homme ! Si noble dans sa raison, si infini dans ses facultés, si gracieux et si admirable de forme et de mouvement ! En action, pareil à un ange ; en intelligence, l'égal d'un dieu. La parure de la terre, la merveille des animaux ! Et cependant, que m'est, à moi, cette quintessence de poussière ? L'homme ne me ravit pas, ni la femme non plus. » Shakespeare, *Hamlet.*

Jean-Louis Debré, *Ce que je ne pouvais pas dire,* Éditions Robert Laffont, Paris, 2016

Journal tenu par l'auteur au cours des neuf années qu'il a passées à la tête du Conseil constitutionnel. De-ci de-là, outre des observations plus ou moins anecdotiques et souvent dénuées d'intérêt, y figure ce type de phrase qui semble prendre la forme d'un avertissement : « Un pays sombre quand l'État et ceux qui légitimement l'incarnent n'assument pas leurs responsabilités »…

Laurence Del Chiaro et Jean-Pierre Thiollet, *Concilier vie privée et vie professionnelle,* collection « Les initiatives professionnelles », Nathan, Paris, 1993

Un livre consacré à un problème de plus en plus crucial dans le monde moderne, qu'Hallier avait pour sa part résolu sur un mode très fusionnel, avec des incidences qui se sont à la longue révélées lourdes de conséquences… Au nom de Mazarine et de la conciliation de sa vie professionnelle et de sa vie privée, M. Mitterrand, lui, a dérapé. Laissant libre cours à ses pulsions perverses, ce malade a associé son gang à sa « dérive ».

Pierre Desproges (1939-1988), *Desproges par Desproges,* Perrine Desproges et Cécile Thomas éditrices, Éditions du Courroux, Paris, 2017

À l'occasion de l'ouverture des archives du célèbre humoriste et pour commémorer en avril 2018 les trente ans de sa disparition, cet album de photos, manuscrits inédits, dessins, marque la naissance d'une nouvelle maison, les Éditions du Courroux, fondées par Perrine Desproges (fille de Desproges).

Pierre Desproges contribua à sa manière aux grandes heures des « années Hallier », en mentionnant Jean-Edern dans certains de ses spectacles et à l'occasion du réquisitoire qu'il lui consacra quelques jours avant sa mort dans l'émission « Le Tribunal des flagrants délires » diffusée en avril 1988 sur France Inter. Desproges était une relation amicale de Bernard Morrot (1936-2007), le préfacier de l'édition posthume des *Réquisitoires du Tribunal des flagrants délires,* qui fut durant une vingtaine d'années l'un des plus grands professionnels de la presse française, peu connu du public mais à la fois redouté et respecté des « gens de métier », et dirigea notamment la rédaction du *Quotidien de Paris,* de *France-Soir* et de l'hebdomadaire *Marianne.*

Alain Ducasse, avec Christian Regouby, *Manger est un acte citoyen,* Éditions Les Liens qui libèrent, Paris, 2017

Jean-François Dupaquier, *Politiques, militaires et mercenaires français au Rwanda : chronique d'une désinformation,* Paris, Éditons Karthala, 2014

Ouvrage essentiel pour comprendre comment s'est produite en 1994, avec le consentement préalable de l'Élysée, l'élimination en masse des Tutsi en 1994. S'appuyant sur des sources auparavant inconnues, il met en lumière le rôle déterminant joué par M. Mitterrand et certains de ses courtisans ou subordonnés, qui apparaissent comme les premiers responsables de cet effroyable génocide.

L'auteur, qui fut autrefois journaliste au *Quotidien de Paris,* a été expert auprès du Tribunal pénal international pour le Rwanda (TPIR) dans le procès des médias. Il est un observateur attentif de l'évolution du Rwanda et du Burundi depuis plus de quarante ans. Il a également publié en 2010 *L'Agenda du génocide : le témoignage de Richard Mugenzi, ex-espion rwandais,* préfacé par Gabriel Périès, aux Éditions Karthala.

Sébastien Durand, *La Gradation macabre – 1940-1944, L'Aryanisation des « entreprises juives » girondines,* préface de Christophe Bouneau, Memoring Éditions, Bordeaux, 2016

Le texte de cet ouvrage issu d'une thèse soutenue en 2014 à l'université de Bordeaux-Montaigne aurait sans doute gagné à être davantage réécrit et doté d'analyses complémentaires. Il n'en demeure pas moins un fort intéressant document, fruit d'un travail approfondi et dépassionné d'historien, qui vient, en quelque sorte, compléter le contenu de l'ouvrage publié en 2015 par Vincent Le Coq et Anne-Sophie Poiroux aux Éditions du Nouveau Monde. De sa lecture, il ressort que des Français ont su mettre en application des textes abominables du gouvernement de Vichy avec une impressionnante célérité et une efficacité non moins remarquable. Bien au-delà de ce qu'auraient pu espérer les autorités nazies et en cinq ou six fois moins de temps que l'historique loi Macron promulguée en 2015 n'en a mis pour entrer en vigueur concrètement dans son entier ! La clairvoyance des écrits de Jean-Edern Hallier au sujet de Vichy et de la « France de Vichy » s'en trouve, hélas, confirmée. De quoi ne pas rendre glorieux d'être Français ni optimiste au sujet de l'humaine nature...

« Ce qui importe ce n'est pas de lire mais de relire. »

Jorge Luis Borges, *Le Livre de sable*

Jean-Michel Eymeri-Douzans, *Le Règne des entourages : cabinets et conseillers de l'exécutif*, Les Presses de Sciences-Po, Paris, 2015

Livre qui montre combien avant 2017, c'est-à-dire avant l'arrivée d'Emmanuel Macron au pouvoir, la haute administration française pouvait avoir fâcheusement tendance à s'abriter derrière les difficultés techniques d'une réforme pour pratiquer l'inertie, à ne pas être force de proposition pour trouver des solutions et les mettre en œuvre. Pis encore, il lui arrivait de faire preuve de déloyauté à l'égard de l'exécutif dans sa rédaction des projets de loi, des décrets d'application et des circulaires interprétatives... Une situation qui a souvent eu de graves conséquences pour la population.

Jean-Michel Eymeri-Douzans est coauteur et professeur des universités en science politique.

« Le collectionneur de livres vit dans un microcosme qui est sans
doute mal compris ou même ignoré par le commun
des mortels, mais l'objet de sa passion fait partie des plus
belles et des plus fascinantes créations de l'homme. »

Bernard H. Breslauer (1918-2004), dans la revue *FMR*, n° 9

Naïma M'Faddel et Olivier Roy, *Et tout ça devrait faire d'excellents Français,* Éditions du Seuil, Paris, 2017

Un ouvrage qui dénonce les effets pervers de la politique de la ville menée sur le territoire français ces dernières décennies, et en particulier l'accentuation de la ségrégation. Les politiques et les bailleurs sociaux y sont désignés comme les responsables du communautarisme.

Philippe Fabre, *Le Conseil d'État et Vichy : le contentieux de l'antisémitisme,* collection « De Republica », Publications de la Sorbonne, Paris, 2001

Fruit d'un très sérieux travail de recherche, le contenu de cet ouvrage, malheureusement peu accessible à un large public, tend à montrer que les aspects les plus sombres de ce « contentieux de l'antisémitisme » ont été – et restent – oblitérés. Le Conseil d'État a sans doute été le grand corps de l'État français qui a fait le plus preuve d'une servilité extrême à l'égard du régime vichyste et a joué un rôle notable dans l'optimisation des ignominies commises à l'encontre des personnes juives entre 1940 et 1942. Ce n'est pas sans raison si Pierre Mendès-France (1907-1982), qui avait une conception réputée exigeante de la politique, a toujours, semble-t-il, porté depuis le début des années 1940 et jusqu'à sa mort, un jugement sans appel au sujet de cette institution à jamais salie.

Marcel G. Faget, *L'École des notables ou Feu Saint-Germain-des-Prés,* Nouvelles Éditions Debresse, Paris, 1984

Né en 1923, l'auteur, à la plume souvent évocatrice et non conformiste, a également publié plusieurs autres ouvrages pittoresques, *Le Goncourt, La Farce littéraire* et *Vive la République, compère !*

Nicolas Faguier, *Tribunaux de commerce : l'euthanasie économique,* préface d'Irfan Demirhan, Éditions Baudelaire, Lyon, 2017

Une dénonciation de l'effroyable coût économique des tribunaux de commerce français et d'un système plus que malsain qui, non seulement broie les entrepreneurs, mais encore ruine les créanciers... Le statut archaïque des administrateurs et autres mandataires, professions qui, hélas, collectionnent les « moutons noirs » et les abus criants, est bien sûr pointé du doigt au passage dans ces pages qui témoignent de réalités endurées sur le terrain.

Yves-Alain Favre (1937-1992), *L'Écrivain et son moi,* collection « Thèmes et parcours littéraires » sous la direction de Jean Pierrot, Librairie Hachette, Paris, 1973

Dans une perspective résolument thématique, l'ouvrage regroupe une trentaine de textes majeurs sur l'un des problèmes qui ont de tout temps suscité la réflexion humaine et auquel Hallier n'échappa pas. L'auteur fut notamment professeur de littérature à l'université de Pau et directeur du Centre de recherche en poétiques et histoire littéraire.

> « Pour qui tant de livres morts dans la fosse de la bibliothèque ? »
>
> Josep Vicenç Foix (1893-1987), *Poésie, prose*

Jean Gavard (1923-2016), *Une jeunesse confisquée 1940-1945*, avant-propos de Daniel Simon, préface de Laurent Douzou, collection « Mémoires du XXe siècle », L'Harmattan, Paris, 2007

Un ouvrage qui n'évoque pas seulement le séjour de l'auteur à Mauthausen et Gusen, mais retrace aussi le cheminement d'un lycéen – élève du lycée Michel Montaigne de Bordeaux en classe de seconde en juin 1940 – résistant à l'occupant nazi. Arrêté par la police allemande en juin 1942, il eut la surprise – inoubliable – d'être escorté en mars 1943 de la prison de Fresnes à la gare de l'Est par la gendarmerie française afin d'être déporté à Mauthausen. Bien placés pour savoir que Bordeaux n'était pas une ville de négriers pour rien – les noms de nombreuses rues en attestent encore de nos jours ! – et qu'elle entendait s'assumer comme un haut lieu du trafic intense et ignominieux de biens juifs, optimisé avec la complicité de la magistrature et du notariat français, les tenants du régime de Vichy se montraient particulièrement soucieux de s'assurer du parfait « accompagnement » de résistants dont il fallait veiller à la disparition, aussi complète que possible. La déportation semblait offrir cette assurance puisque le voyage en formule « aller simple » n'était guère censé impliquer de retour.

Alfred Gilder, *Le Bêtisier de la République – Ils nous auront bien fait rire*, Éditions Glyphe, Paris, 2014

Concocté par un ancien élève de l'École nationale d'administration et haut fonctionnaire du ministère des Finances détaché à la Ville de Paris, cet ouvrage aurait pu être fort réussi. Il ne l'est malheureusement qu'à demi car il comporte plus d'une approximation ou d'une franche inexactitude... En particulier quand un certain... Jean-Pierre Thiollet, l'auteur de ce livre consacré à Hallier, y est mentionné comme le compagnon de Carole Bouquet ! Ce qui n'a, malheureusement pour lui, jamais été le cas !

Guillaume Gomez, *Cuisine, leçons en pas à pas,* préface de Paul Bocuse et de Joël Robuchon, Éditions du Chêne, Paris, 2017

Les techniques de la cuisine française par un Meilleur ouvrier de France et chef des cuisines du palais de l'Élysée. Une certaine idée de l'art de vivre à la française qu'Hallier n'aurait sans doute pas reniée.

Jean-Paul Gouteux, *Un génocide sans importance : la Françafrique au Rwanda,* Éditions Tahin party, Lyon, 2001 ; *La Nuit rwandaise : l'implication française dans le dernier génocide du siècle,* L'Esprit Frappeur, Paris, 2002 ; *Un génocide secret d'État : la France et le Rwanda 1990-1997,* préfaces de Thierry Méot, William Bourdon et Richard Valeanu, postface de Jean-Pierre Chrétien, L'Esprit Frappeur, Paris, 2009

Des livres qui contribuent à établir que la France a été coproductrice du génocide des Tutsi en 1994 et qu'elle a, depuis 1975 sous Giscard d'Estaing, et bien davantage avec M. Mitterrand et M. Balladur, Premier ministre de cohabitation, procuré une aide totale aux génocidaires… Les ouvrages publiés en 2010 et 2014 par Jean-François Dupaquier au sujet de ce qui représente l'un des pires crimes contre l'humanité du XXe siècle sont venus établir et accentuer la gravité des charges qui pèsent notamment sur MM. Mitterrand, Balladur et certains membres de leurs proches entourages. Il paraît difficilement concevable qu'avec l'arrivée d'Emmanuel Macron, disciple de Paul Ricœur, à la tête de l'État, la France continue longtemps à ne pas voir que son histoire est, pour reprendre la formule chère à l'écrivain franco-congolais Alain Mabanckou, « cousue de fils noirs », et à ne pas faire son examen de conscience, aussi pénible soit-il, en particulier pour le dernier carré des « Tontonmaniaques ».

Evelyne Grossman, *Éloge de l'hypersensible,* collection « Paradoxe », Les Éditions de Minuit, Paris, 2017

Par une professeure à l'université Paris-Diderot et éditrice des œuvres d'Antonin Artaud en « Quarto » (Gallimard), un ouvrage qui ne se contente pas de montrer combien l'hypersensibilité est avant tout un instrument de connaissance. Destiné à un public à prétention résolument intellectuelle, il met en lumière l'importance, en littérature, des hypersensibles, ces « écorchés » oscillant entre exacerbation des sens et anesthésie.

Boris Grésillon, *Géographie de l'art – Ville et création artistique,* Economica-Anthropos, Paris, 2014

L'auteur enseigne la géographie à l'université d'Aix-Marseille et est chercheur au laboratoire CNRS TELEMMe (Temps, espaces, langages, Europe méridionale – Méditerranée)/MMSH (Maison méditerranéenne des sciences de l'homme).

Marie-Françoise Guignard et Jean-Pierre Thiollet, *L'Anti-crise,* Dunod, Paris, 1994

Le livre qui reste, hélas, ô combien d'actualité, évoque les perturbations qui, depuis les années 1980-1990, guettent les salariés dans leur environnement professionnel et dont Jean-Edern Hallier n'avait pas manqué non seulement de percevoir l'acuité mais encore de dénoncer les responsabilités politiques… Figurent en bonne place des témoignages de personnalités comme Ursula Grüber, la fondatrice de l'agence de communication internationale qui porte son nom, le pâtissier et cuisinier Patrick Lenôtre, l'ancien champion olympique Alain Mosconi, Jean-Claude Cathalan, qui préside le Comité Montaigne après avoir été à la tête du groupe Révillon, des Parfums Caron et de la maison de haute couture Jean-Louis Scherrer, et Eveline Duvaud-Schelnast, responsable au sein d'une université de sciences appliquées en Autriche.

À George Bernard Shaw est attribuée cette réponse qu'il fit à un libraire qui lui disait « Ah ! Si tous vos admirateurs achetaient vos livres ! » : « Si tous mes admirateurs achetaient mes livres, j'aurais peut-être moins d'admirateurs. »

Ian Hamel, *Notre ami Bernard Tapie*, Éditions de L'Archipel, Paris, 2015

Par un journaliste qui a publié de nombreux articles dans des publications françaises et suisses, un ouvrage bien documenté qui ne se contente pas de rappeler des faits intéressants, trop souvent oubliés, mais met en lumière certains agissements de l'ex-politicien-homme d'affaires et de son entourage à l'encontre de Jean-Edern Hallier, ainsi que le combat mené par l'écrivain.

Hervé Hamon et Patrick Rotman, *Les Intellocrates : expédition en haute intelligentsia,* Éditions Ramsay, Paris, 1981 (Éditions Complexe, Bruxelles, 1985)

Hallier est mentionné à plusieurs reprises dans ce livre-reportage d'un duo d'auteurs enquêteurs dont le propos – la mise en question de l'influence intellectuelle française – reste, par-delà les changements de lieux, de visages et de réseaux d'influence depuis l'époque de la parution, d'actualité.

François Hartog, *La Nation, la religion, l'avenir : sur les traces d'Ernest Renan,* collection « L'esprit de la cité », Gallimard, Paris, 2017

Quelle sera la religion du futur ? Quels seront l'avenir de la nation et celui de l'Europe ? Ces interrogations qui étaient celles de Renan (1823-1892) sont encore les nôtres et l'auteur, historien, se sert de l'œuvre du célèbre écrivain, philologue et philosophe, comme d'un prisme, afin d'offrir une certaine vision de l'époque contemporaine.

Nathalie Heinich, *Des valeurs : une approche sociologique,* collection « Bibliothèque des Sciences humaines », Gallimard, Paris, 2017

Sociologue, directrice de recherches au Centre national de la recherche scientifique (CNRS) et membre du Centre de recherches sur les arts et le langage (CRAL) de l'École des hautes études en sciences sociales (EHESS), l'auteure, née en 1955, s'efforce d'analyser les règles implicites qui établissent les jugements politiques et artistiques, et de démontrer que les fameuses « valeurs » dont les sphères politico-médiatiques se gargarisent ne sont ni de droite ni de gauche, mais des représentations collectives cohérentes et agissantes. Au passage, elle met sérieusement à mal quelques idées reçues, en soulignant que l'opinion ne saurait être réductible à l'opinion publique, pas plus que la valeur ne l'est au prix, ni les valeurs à la morale... Le livre a été récompensé par le prix Pétrarque de l'essai 2017 organisé par France Culture et *Le Monde.*

Augustin d'Humières, *Un petit fonctionnaire,* Grasset, Paris, 2017

Par un professeur de lettres classiques dans un lycée de Meaux, la description de la dénonciation d'un système qui, sous couvert d'égalité des chances et de formation à la citoyenneté, n'a fait qu'amplifier les inégalités et viserait à n'apprendre strictement rien de clair et de précis à un élève. Au point qu'un enfant évoluant dans une banlieue mise à l'écart et ne pouvant compter que sur l'école pour se constituer un gage culturel voit ses chances de s'en sortir proches de zéro... Établissant un lien entre ce bilan et l'éclosion du djihadisme, l'auteur pointe, outre l'irresponsabilité des syndicats et des hautes sphères hiérarchiques de l'Éducation nationale, tout le déni institutionnel autour de l'indigence culturelle de trop nombreux lycéens, à qui l'on fait croire qu'ils sont armés pour réussir leurs études supérieures et trouver un emploi. Cependant, il n'a – c'est sans doute le seul reproche qui pourrait lui être fait – qu'une vision partielle, dans la mesure où il ne relève pas qu'il existe aussi des dizaines de milliers de jeunes Français, particulièrement bien formés, provenant des meilleurs établissements parisiens ou provinciaux et issus des classes moyennes, qui sont empêchés d'exercer des activités professionnelles, et qui ne trouvent pas les emplois qui devraient leur revenir et ne peuvent créer leur entreprise et générer de l'emploi, en raison des extraordinaires verrous en place dans la zone F de l'Euroland et des égoïsmes forcenés qui ont longtemps bénéficié de la complicité criminelle de nombreux élus politiques français...

Enfin, Augustin d'Humières est loin d'être le seul auteur à tirer la sonnette d'alarme. Dans *Ils ont tué l'histoire-géo,* paru en 2012 chez François Bourin Éditeur, Laurent Wetzel, qui a été notamment inspecteur d'académie, avait aussi dénoncé avec force, références à l'appui, certaines aberrations. Hallier avait volontiers pressenti et signalé, à sa manière, les risques inhérents à la situation française.

En septembre 2017, une promesse d'Emmanuel Macron avant son élection à la présidence de la République en mai 2017 a été tenue : le ministre de l'Éducation nationale, Jean-Michel Blanquer, a mis en application la réduction à douze élèves des classes de CP et CE1 dans les écoles des quartiers défavorisés. Un fait qui paraît s'inscrire, avec d'autres initiatives réformatrices, dans un changement d'époque.

Jean-Pierre Hutin, *Les Enfants de Sidi-Ferruch ; chronique de la dernière guerre de l'armée française,* Éditions Le Spot, Nice, 2013 ; *Bigeard Boys : sous la casquette, la démesure,* préface d'Éric Deschodt, collection « Vérités pour l'Histoire », Éditions Dualpha, Paris, 2017

La réalité de la guerre par un auteur qui l'a vécue et qui en est revenu, « comme de beaucoup de choses » de son propre aveu... Avec son ton vigoureux, captivant et roboratif, le premier livre ne peut guère laisser indifférent, et surtout pas les lecteurs de Jean-Edern Hallier. D'autant que viennent pimenter le tout quelques vérités politiquement incorrectes mais bien senties et volontiers explicitées, dont celle-ci : « L'ultime subterfuge du politique, c'est de faire admettre qu'il existe des politiques de droite, de gauche ou du centre. Que nenni. En démocratie, il n'y a vraiment que deux partis politiques : les imbéciles et les profiteurs. » Dans l'autre récit, l'émotion se veut le plus souvent maîtrisée, mais elle reste au rendez-vous, avec de-ci de-là des trouvailles à la Frédéric Dard et des pages qui rendent un bel hommage, non conformiste et plutôt convaincant, à ce meneur d'hommes que fut Marcel Bigeard. En 1986, Jean-Pierre Hutin avait également publié aux Lettres du monde un livre tout à fait mémorable, aux accents néo-céliniens, intitulé *Profession : j'aime pas la guerre.*

« Qu'est-ce qu'un livre si nous ne l'ouvrons pas ?
Un simple cube de papier et de cuir avec des feuilles ;
mais si nous le lisons, il se passe quelque chose
d'étrange, je crois qu'il change à chaque fois. »

Jorge Luis Borges, *Conférences*

Alexandre Jardin, *Des gens très bien,* Grasset, Paris, 2011

Un livre qui a, entre autres grandes vertus, celle de montrer qu'il n'est pas nécessaire d'être un monstre pour participer au pire et que ce sont des Français qui furent durant la Seconde Guerre mondiale les acteurs et souvent les profiteurs de la spoliation de fort nombreux biens immobiliers appartenant aux juifs. Des Français dont les descendants directs ou les héritiers sont à notre époque toujours en activité professionnelle. À l'évidence, des gens très bien en effet...

Jean-Noël Jeanneney, *Le Récit national : une querelle française,* Fayard, Paris, 2017

Assemblage de quinze dialogues, au contenu souvent fort convenu, avec des historiens – Christian Amalvi, Anne-Claude Ambroise-Rendu, Claire Andrieu, Guy Carcassonne, Jean-Claude Caron, Delphine Diaz, Patrick Eveno, Sudhir Hazareesingh, Hervé Le Bras, Mona Ozouf, Michel Pastoureau, Michelle Perrot, René Rémond, Patrick Weil. Professeur émérite des universités à l'Institut d'études politiques de Paris, Jean-Noël Jeanneney a présidé Radio France, la Mission de commémoration du bicentenaire de la Révolution française et la Bibliothèque nationale de France. Il a surtout appartenu à deux gouvernements de M. Mitterrand dont il fait partie des plus dévoués thuriféraires.

> « Un livre, c'est toute une forêt qui se déplace et qui vient jusques à nos fenêtres pour dire : "Qu'est-ce que tu as fait de bien ces temps-ci, digne d'apparaître dans ton travail ?" »
>
> Franck Venaille, dans *Le Monde,* 9 juin 2017

Pierre-Patrick Kaltenbach (1936-2014), *Tartuffe aux affaires : génération morale et horreur politique, 1980-2000,* collection « Essais et documents », Les Éditions de Paris-Max Chaleil, Paris, 2001

Pourfendant la pensée unique comme le politiquement correct, l'auteur dénonce la collusion des politiques professionnels de tous bords et tous les appareils agrippés au pouvoir et à leurs privilèges. Pour autant, il ne s'agit pas du tout d'une énième critique de l'État, de l'impôt ou des fonctionnaires. Il s'agit en fait d'une attaque frontale contre la génération qui ne s'est proclamée morale que pour instaurer ce que l'auteur ne craint pas de qualifier d'« ordre moral nouveau ». Hier, on exploitait hypocritement famille, Église, armée, patrie, épargne pour justifier l'exploitation de la classe ouvrière. Désormais, notamment à travers associations et mutuelles, on exploite antiracisme ou lutte contre l'ultralibéralisme et l'exclusion, pour justifier le refus de toute transparence et de toute démocratie en matière de ressources comme de dépenses publiques. Pour l'auteur, qui fut un homme de réflexion, magistrat à la Cour des comptes et président des Associations familiales protestantes, là est l'horreur politique, la vraie, celle qui nourrit abstention, corruption et dérision. Alors, il en appelle à une vigilance active des citoyens, qu'il souhaite voir se développer, notamment grâce à Internet.

David Koubbi, *Une contestation française : pour une justice, une politique et une finance au service des citoyens,* Éditions Don Quichotte, Paris, 2017

L'ouvrage part du constat que chacun de nous est conscient que la République française va mal, que l'intérêt général ne cesse d'être bafoué, que la loi ne s'applique pas à tous, sans aucune restriction ni distinction, que la justice est dévoyée en un instrument au service des puissants, et que les politiciens français, à quelques rares exceptions près, se complaisent dans une démocratie de basse intensité. Il invite donc le peuple à redevenir souverain, par-delà les divergences et les différences, à mettre un terme aux dysfonctionnements de la société, et à vouloir davantage d'honnêteté et de justice dans la vie publique.

Personnalité parisienne quelque peu controversée, l'auteur est un avocat qui se présente volontiers comme anarchiste, non croyant et boxeur pratiquant. Il est connu notamment pour avoir pris en 2012 la défense de Jérôme Kerviel dans le procès l'opposant à la Société Générale.

> « Les livres ont un caractère héréditaire et je crois te l'avoir transmis. Tu ne les aimes pas comme moi, tu es exigeant, tu cherches en eux les pages qui restent gravées dans la mémoire, épinglées comme des papillons. »
>
> Erri De Luca, *En haut à gauche*
> (traduit de l'italien par Danièle Valin)

Yves Lacoste, *Vive la Nation : destin d'une idée géopolitique,* Fayard, Paris, 1997

Le fait que la vieille classe politique française n'a plus osé parler de la Nation par crainte de donner prise à des accusations de nationalisme réactionnaire et de consentir aux arguments du Front national a longtemps laissé aux leaders de ce mouvement le monopole du discours positif sur Clovis, Jeanne d'Arc, « la France éternelle ». Géographe réputé, professeur d'université et directeur d'*Hérodote,* la revue de géographie et de géopolitique qu'il a fondée, l'auteur se demande dans ce livre de référence s'il ne faudrait pas plutôt remettre à l'honneur un discours républicain de la Nation.

Mathieu Laine et Jean-Philippe Feldman, *Transformer la France : en finir avec mille ans de mal français,* Plon, Paris, 2018

Un livre qui contribue à démontrer combien la pesanteur d'habitudes sédimentées et de blocages inouïs a fort longtemps empêché la France, l'un des pays « les plus rétifs au changement », d'évoluer. Mathieu Laine est directeur du cabinet de conseil Altermind et Jean-Philippe Feldman, professeur agrégé des facultés de droit et spécialiste de l'histoire des idées politiques.

Christian Lambert, *Chroniques du déclin,* Presses de la Délivrance, Paris, 2017

Recueil, en trois volumes, de chroniques parues dans *Les 4 vérités hebdo,* fort évocatrice de ces années 2010-2016 où l'auteur, un ancien ambassadeur qui ne se laisse pas volontiers abuser par les apparences médiatiques, montre, arguments et données souvent irréfutables à l'appui, combien la France, n'a, hélas ! pas cessé de reculer sur tous les plans.

Aude Lancelin, *Le Monde libre,* Éditions Les Liens qui libèrent, Paris, 2016 ; *La Pensée en otage : s'armer intellectuellement contre les médias dominants,* Éditions Les Liens qui libèrent, Paris, 2018

Le premier ouvrage a obtenu le prix Renaudot essai en 2016. Compagne de Frédéric Lordon, l'auteure a été directrice adjointe des rédactions de *Marianne* et de *L'Obs.*

Frédéric Laurent, *Le Cabinet noir : avec François de Grossouvre au cœur de l'Élysée de Mitterrand,* collection « Essais & Docs », Albin Michel, Paris, 2006

Surnommé le « ministre de la vie privée », François de Grossouvre a été, dans le sillage de François Mitterrand, l'homme de la part d'ombre : gestion de la famille morganatique de l'ancien chef d'État bien sûr, mais aussi supervision des Services secrets. Un itinéraire brutalement interrompu, le soir du 7 avril 1994, par un coup de feu tiré dans son bureau de l'Élysée. Suicide ? Ancien journaliste à *Libération,* issu du militantisme gauchiste post-68, Frédéric Laurent, né en 1943, était le principal collaborateur de François de Grossouvre lorsque celui-ci est venu, en mai 1981, s'installer à la présidence de la République. En acceptant de raconter, il apporte un témoignage essentiel. La savoureuse chronique qu'il livre révèle non seulement une gauche minée par l'amateurisme et la cupidité, mais encore des Services manipulés et déchirés par les querelles partisanes. Surtout, il éclaire un entourage présidentiel épuisé par les luttes de clans. Avec ce singulier document, la « part d'inventaire » tend à progresser... En fait, François de Grossouvre, qui non seulement détenait de nombreux secrets au sujet de M. Mitterrand et de ses proches mais encore s'apprêtait à les consigner par écrit et avait durant le second septennat des désaccords de plus en plus profonds avec l'individu placé à la tête de l'État, a très probablement été assassiné sur ordre, à l'aide d'un pistolet 357 Magnum. Arguments à l'appui, sa famille conteste de surcroît depuis de nombreuses années la thèse du suicide (cf. entretiens avec Nathalie Michaud, sa fille, Patrick et François de Grossouvre, ses fils et petit-fils, et Pierre d'Alançon, collaborateur de M. de Grossouvre à l'Élysée, propos recueillis par Patrice de Méritens et parus dans *Le Figaro Magazine* du 18 juin 2010).

Vincent Le Coq et Anne-Sophie Poiroux, *Les Notaires sous l'Occupation : acteurs de la spoliation des juifs,* Éditions du Nouveau Monde, Paris, 2015

Premier du genre sur le sujet, figurant aux catalogues des bibliothèques de nombreuses universités américaines, cet ouvrage d'un maître de conférences en droit et d'une ancienne avocate diplômée notaire, devenue notaire depuis la loi Macron, est fort éclairant sur la lourde responsabilité du Conseil supérieur du notariat français (évoquée dans les premiers chapitres de cet ouvrage et dans *Hallier, l'Edernel jeune homme,* paru en 2016) dont les dirigeants dans la première moitié des années 2010 étaient, pour la plupart, les descendants ou héritiers des profiteurs des spoliations de juifs à grande échelle commises sous l'Occupation, dans le cadre d'un crime contre l'humanité, en particulier à Paris, Nancy et Bordeaux. À la différence d'autres pays européens, la France est très loin d'avoir fait la lumière sur ces ignominies, ce qui laisse donc entrouverte une épouvantable blessure mémorielle. D'autant que le Conseil supérieur du notariat, créé sous le régime de Vichy, a toujours bénéficié, sans doute en raison d'une infâme corruption et de la peur d'une capacité de nuisance, de la complicité des plus hautes autorités de l'État français. À titre purement indicatif, puisque de nombreuses données n'ont toujours pas été rendues accessibles aux chercheurs, l'estimation en valeur contemporaine du recel des biens juifs spoliés entre 1940 et 1942 pourrait se chiffrer, selon toute vraisemblance et par connaissance de certains faits d'ores et déjà établis, en milliards d'euros.

Erwan Le Noan, *La France des opportunités : toutes les bonnes nouvelles qu'on ne vous dit pas,* collection « Entreprises et société », Manitoba/Éditions Les Belles Lettres, Paris, 2017

Un livre qu'une classe politique française championne du conservatisme et du népotisme serait sans doute bien avisée de lire et de relire. Après avoir relevé « l'échec total des 30 malthusiennes », « la fin d'une société figée » et le passage d'un mode de fonctionnement pyramidal à une approche horizontale, redéfinie par l'existence des réseaux sociaux et des innovations technologiques, il met en lumière le combat des Anciens contre les Modernes et l'avènement d'un capitalisme moderne qui est en train de prendre forme, comme une sorte de nouvelle renaissance libérale. Avocat de formation, son auteur est consultant et enseignant à Sciences-Po.

Corinne Lepage, *Les Mains propres : plaidoyer pour la société civile au pouvoir,* collection « Haut et fort », Éditions Autrement, Paris, 2015

Diffusé de manière confidentielle au moment de sa parution et ignoré des plus puissants médias, ce livre n'en contient pas moins une certaine idée de la politique et une mise en cause plutôt courageuse des pratiques du MoDem, le mouvement de François Bayrou. L'auteure y écrit : « C'est ainsi que des assistants parlementaires servent en réalité le parti politique, et non le parlementaire... Lorsque j'ai été élue au Parlement européen en 2009, le MoDem avait exigé de moi qu'un de mes assistants parlementaires travaille au siège parisien. J'ai refusé en indiquant que cela me paraissait, d'une part, contraire aux règles européennes et, d'autre part, illégal. Le MoDem n'a pas osé insister mais mes collègues ont été contraints de satisfaire à cette exigence. » Une dénonciation qui a resurgi au grand jour lors de la présidentielle de 2017 et a finalement trouvé un début d'épilogue dans la démission dès juin 2017 des trois ministres MoDem, François Bayrou, Marielle de Sarnez et Sylvie Goulard, du premier gouvernement d'Édouard Philippe.

Antoine Lilti, *Le Monde des salons : sociabilité et mondanité à Paris au XVIIIe siècle,* Fayard, Paris, 2005 ; *Figures publiques : l'invention de la célébrité 1750-1850,* collection « L'Épreuve de l'histoire », Fayard, Paris, 2014

Texte remanié d'une thèse soutenue par l'auteur sous la direction de Daniel Roche en 2003, le premier livre s'impose comme un ouvrage de référence. Le majestueux appartement d'Hallier, ce lieu d'exception qui a occupé une place particulière dans l'environnement culturel de son époque, fut sans doute l'ultime survivance contemporaine du « salon », dans l'espace de sociabilité parisien. Antoine Lilti est maître de conférences en histoire moderne à l'École normale supérieure, directeur d'études à l'École des hautes études en sciences sociales (EHESS) et directeur de la rédaction de la revue *Les Annales.*

« Je constate avec une sorte de mélancolie douce-amère que tout au monde me ramène à une citation ou à un livre. »

Jorge Luis Borges, « Las islas del Tigre », *Atlas,* 1984

Emmanuel Macron, *Révolution,* XO Éditions, Paris, 2016

Paru en 2016, cet ouvrage politique bien conçu, au contenu dense et souvent mésestimé par la plupart des plus puissants médias de masse. D'une lecture aisée, il contient non seulement la philosophie de la démarche politique de ce candidat qui, en homme d'État et avec talent, allait remporter la victoire à l'élection présidentielle de 2017 mais encore l'essentiel de son programme.

Mafalda (Mafalda Davis née Marouf, dite, 1914-2009), *Le Lit n'est pas fait pour dormir,* Émile-Paul, Paris, 1966

L'auteure se définissait comme « égyptienne de naissance, française de cœur, américaine d'adoption et par réflexion ». Cette amie proche du roi Farouk d'Égypte (1920-1965) et dame d'honneur de son épouse Farida fut une *beautiful people.* Elle reste connue dans les sphères culturelles internationales pour, dans les années 1960, avoir invité Salvador Dalí à concevoir des objets de toute sorte – des bijoux aux maillots de bain en passant par les calendriers, de la vaisselle ou de l'argenterie –, dont certains demeurent toujours, semble-t-il, à l'étape d'ébauche, et pour avoir laissé ce petit recueil où quelques évocations de souvenirs pittoresques font bon ménage avec des aphorismes parfois très pénétrants.

Pierre Manent, *Situation de la France,* Éditions Desclée de Brouwer, Paris, 2015 ; *La Loi naturelle et les droits de l'homme,* Presses universitaires de France, Paris, 2018

Normalien, agrégé de philosophie, cet ancien assistant de Raymond Aron au Collège de France et directeur d'études honoraire à l'École des hautes études en sciences sociales (EHESS) défend l'idée dans son récent ouvrage que la doctrine des droits de l'homme ôte toute boussole à la vie sociale et à l'art du gouvernement.

Jean-Pierre Martin, *Le Livre des hontes,* collection « Fiction et Cie », Éditions du Seuil, Paris, 2006 (*La Honte, réflexions sur la littérature,* collection « Folio essais », Gallimard, Paris, 2017)

À la relecture de grands textes, l'auteur analyse les multiples formes de la honte – intime, sociale, historique, politique –, parfois à la source du geste même de l'écriture. Membre honoraire de l'Institut universitaire de France, professeur émérite de littérature à l'université Lyon 2, il est essayiste reconnu et membre du comité de rédaction des *Temps modernes.* Au sujet de M. Fillon, candidat à l'élection présidentielle de 2017, qui, après avoir prétendu s'identifier à la rigueur morale en politique et multiplié les déclarations impudentes, se faisait le procureur d'un complot imaginaire et en arrivait à reconnaître des « erreurs », il eut cette mémorable formule : « Il a dû passer en quelques semaines une licence accélérée ès hontes bues »...

Jean-Claude Martinez, *Lettre ouverte aux contribuables,* collection « Lettre ouverte », Albin Michel, Paris, 1985. *Demain 2021,* entretiens avec Jean-Pierre Thiollet, Godefroy de Bouillon, Paris, 2004 ; *L'Album secret du Parlement européen,* avec Norma Caballero, Maison de la Vie, Montpellier, 2009 ; *Les Sept sujets dont les candidats à la présidentielle ne vous parlent pas,* Éditions France-Empire, Chaintreaux, 2012 ; *Mohammed VI, le roi stabilisateur,* Éditions Jean-Cyrille Godefroy, Paris, 2015 ; *Ma République des maires,* collection « Essais », Éditions Jean-Cyrille Godefroy, Paris, 2016

Paru au sein de cette collection où Hallier avait publié, sur commande de l'éditeur, alors prestigieux, sa fameuse *Lettre ouverte au colin froid,* le premier ouvrage est un très brillant essai. L'auteur fut lauréat du prix Renaissance de l'économie remis en 1988 par Maurice Lauré (1917-2001).

François Mattéi et Michel de Montaigne, *Alain Juppé, l'impossible héritage : les dossiers noirs de Bordeaux,* collection « Document », Mango, Paris, 2001

Un livre truffé de révélations sur le système de fonctionnement de la démocratie locale dans une grande ville de France, avec les copains et les coquins, les connivences et les renvois d'ascenseur, le favoritisme et le fait du prince… Une saga visionnaire de M. Juppé, auquel de nombreux invités de plateaux télévisés ont longtemps, et à grand tort, prédit un destin national. Réputé pour ses enquêtes, l'auteur est un journaliste qui a été notamment directeur de la rédaction de *France-Soir* au milieu des années 2000. Il a publié d'autres ouvrages – au contenu résolument décapant au regard des discours officiels et médiatiques dominants – au sujet de divers dirigeants ou pays africains.

Gabriel Matzneff, *Un diable dans le bénitier,* collection « La Bleue », Stock, Paris, 2017

Chroniques sur Hollande, les politiciens français, la droite française, Schopenhauer, la piscine Deligny, par un auteur volontiers franc-tireur qui affiche avec du talent et du cœur, mais avec aussi une élégance et un soin plutôt rares, ses goûts et dégoûts, ses motifs de détestation ou d'admiration… « Du cousu main et non pas du cousin mu ! » (selon *Service Littéraire,* février 2017).

Gérard Miller, *Les Pousse-au-jouir du maréchal Pétain,* préface de Roland Barthes, Éditions du Seuil, Paris, 1975 (Le Livre de Poche, 1988 ; Points Seuil, Paris, 2004)

Un livre utile pour qui veut comprendre la période trouble des années 1940, avec leurs incidences ultérieures, hélas, toujours présentes, et contre toute attente, de nos jours.

Jean-Claude Milner, *Considérations sur la France,* conversation avec Pierre Petit, collection « Actualité », Éditions du Cerf, Paris, 2017

Pourquoi les Français ont-ils assisté, impuissants, au délitement de leur démocratie ? Pourquoi la défaite de 1940 est-elle à l'origine des crises qu'ils vivent aujourd'hui ? Jusqu'à quel point l'école reconduit-elle les inégalités sociales ? C'est à ces questions, et à bien d'autres, que Jean-Claude Milner, l'un des grands intellectuels français, né en 1941, s'efforce de répondre dans cet intéressant livre d'entretien qui revisite les traces du passé, éclaire le présent et propose une relecture de l'histoire de France.

« L'écriture est une passion française (...) et les Français sont un grand peuple littéraire, comme les Russes. Il y a d'ailleurs eu un sondage dans *Le Figaro littéraire.* À la question "Quel est le plus beau des métiers en France ?", les gens ont répondu : écrivain. »

Gonzague Saint Bris (1948-2017), dans un entretien publié en août 2015 dans *Prog ! L'agenda des sorties en Indre-et-Loire*

Abdallah Naaman, *Le Liban, histoire d'une nation inachevée,* Éditions Glyphe, Paris, 2015

En trois volumes, un ouvrage de référence par un grand auteur bilingue (arabe-français) né au Liban, essayiste, poète et ancien diplomate. Une lecture essentielle pour qui veut comprendre pourquoi un si petit pays peut être considéré comme l'épicentre géodésique des heurs et malheurs planétaires...

Philippe Nemo, *Les Deux Républiques françaises,* Presses universitaires de France, Paris, 2008

Par un philosophe et historien des idées politiques françaises, auteur de nombreux ouvrages, un livre polémique, qui propose une relecture de l'histoire de France à partir de la Révolution française. Il distingue deux républiques françaises issues de deux révolutions radicalement antagonistes, qu'il est essentiel, selon l'auteur, de distinguer nettement : la Révolution démocrate-libérale de « 1789 », d'une part, inspirée du régime parlementaire britannique, elle a pour pivot la représentation nationale et les élections démocratiques ; la Révolution jacobine du 2 juin 1793, d'autre part.

Johan Norberg, *Non, ce n'était pas mieux avant : 10 bonnes raisons d'avoir confiance en l'avenir,* préface de Mathieu Laine, traduction de Laurent Bury, Plon, Paris, 2017

Un livre au ton revigorant et résolument optimiste qui estime, arguments à l'appui, que « c'est mieux maintenant » et qu'il y aurait même tout lieu de croire que ce sera encore mieux demain. Ancien rédacteur en chef d'un magazine suédois et conférencier réputé, l'auteur a publié de nombreux ouvrages.

Laurent Nunez, *L'énigme des premières phrases,* collection « Le Courage », Grasset, Paris, 2017

Tout ce que l'on peut deviner d'une œuvre, et de son auteur, est-il contenu dans « sa » première phrase ? L'auteur prend en tout cas l'initiative séduisante d'examiner avec soin, mot après mot, une quinzaine de premières phrases de livres plus ou moins célèbres.

« Les bibliothèques publiques doivent être ouvertes à tous – sauf aux censeurs. »

Devise attribuée à John F. Kennedy (1917-1963), figurant dans *Liberté, égalité, hilarité,* Mina et André Guillois, Fayard

Michel Onfray, *Décoloniser les provinces : contribution aux présidentielles,* Éditions de l'Observatoire, Paris, 2017

« (...) mais je soupçonne que l'espèce humaine – la seule qui soit – est près de s'éteindre, tandis que la Bibliothèque se perpétuera : éclairée, solitaire, infinie, parfaitement immobile, armée de volumes précieux, inutile, incorruptible, secrète. »

Jorge Luis Borges, *Fictions*

Jean-Christian Petitfils, *Histoire de la France : le vrai romain national,* Fayard, Paris, 2018

L'auteur fait valoir que quelques piliers fondateurs ont façonné une identité de la France, non sans concéder – et déplorer – qu'ils sont fortement ébranlés de nos jours...

Michel Pinçon et Monique Pinçon-Charlot, *Les Prédateurs au pouvoir : main basse sur notre avenir,* Éditions Textuel, Paris, 2017

Dans ce très petit ouvrage de quelques dizaines de pages, le couple bien connu de sociologues livre une dénonciation impitoyable de la complicité des gouvernements avec le destructeur dieu Argent. Chiffres et preuves à l'appui, ils démontrent comment l'argent s'est transformé en une arme de destruction massive aux mains d'une aristocratie de l'argent qui fraye intensément avec celle du pouvoir. Après les « Penelope Gate » et « Fillon Gate », leur indignation, bien qu'idéologiquement marquée, paraît d'autant plus justifiée.

Mazarine Pingeot, *Théa,* Éditions Julliard, Paris, 2017

Le coup d'État en Argentine de 1982, un gars qui disparaît, une fille amoureuse, la guerre d'Algérie... « Livre politico-bien pensant qui prouve une fois de plus qu'on peut être normalien, agrégé de philo, et écrire comme une sandale de la Pampa » (dans *Service Littéraire,* numéro 103, février 2017).

Edwy Plenel, *La Valeur de l'information,* suivi de *Combat pour une presse libre,* Éditions Don Quichotte, Paris, 2018

Ancien directeur des rédactions du *Monde,* l'auteur est le cofondateur et président de *Mediapart,* journal en ligne « indépendant et participatif » fondé en 2008.

> « Les livres sont le toujours. Celui qui les écrit peut croire qu'il les laisse à ses contemporains, à la postérité, mais au moment où il écrit tout le passé est derrière son dos en train de lire. S'il n'y a pas cet ange du temps écoulé, s'il n'y a pas sa griffe sur le cou du poète, ses mots sont aussitôt de la cendre. Si on n'écrit pas pour être lu par ses ancêtres, rien ne reste imprimé sur le papier. »
>
> Erri De Luca, *En haut à gauche*
> (traduit de l'italien par Danièle Valin)

Éric Raynaud, *Un crime d'État ? La Mort étrange de Pierre Bérégovoy,* Éditions Alphée, Paris, 2008 ; *« Suicide » d'État à l'Élysée : la mort incroyable de François de Grossouvre,* Alphée – Jean-Pierre Bertrand, Paris, 2009

Deux des livres qui ont contribué à relancer la thèse des assassinats de l'ancien Premier ministre et de l'ancien conseiller de M. Mitterrand. Né en

1955, l'auteur est un journaliste spécialisé dans les « vérités cachées » du milieu politique. Il a reçu le prix de la Justice citoyenne pour l'un de ses ouvrages. Pour mémoire, le 8 avril 1992, Pierre Bérégovoy, alors Premier ministre, avait déclaré à l'Assemblée nationale sa ferme intention de lutter contre la corruption et brandi une liste de noms de personnalités corrompues. La réaction de l'Assemblée fut révélatrice car les députés furent scandalisés par cette décision, ce qui tendait à prouver qu'ils avaient tous quelque chose à cacher et qu'ils craignaient qu'une telle initiative ne dévoilât au grand jour leurs activités malhonnêtes. Dans un pays bénéficiant d'une saine gouvernance, une telle annonce aurait dû au contraire être saluée par les élus et perçue comme rassurante. Cette réaction très hostile à la transparence ne fut en fait qu'annonciatrice, sinon de la mort de Pierre Bérégovoy, « suicidé » de deux balles dans la tête le 1er mai 1993 avec l'arme de service de son garde du corps, du moins des épouvantables blocages qu'allait subir le territoire français durant un quart de siècle et dont la classe politique française porte la lourde responsabilité et la culpabilité… Pour mémoire également, François de Grossouvre a très probablement été assassiné sur ordre le 7 avril 1994 dans son bureau de l'Élysée à l'aide d'un pistolet 357 Magnum.

Raoul Relouzat et Jean-Pierre Thiollet, *Migraine, mon amie,* Anagramme éditions, Paris, 2001 ; sous le titre *Vaincre la migraine aujourd'hui,* 2006 ; sous le titre *Vaincre la migraine,* 2012

Élisabeth Reynaud, *Le Sang de l'écriture,* Éditions du Rocher, Monaco, 2003

Comment l'âme humaine se coule-t-elle dans l'encre d'un stylo pour en imprimer noir sur blanc les mouvements les plus intimes ? Pour le savoir, il fallait pénétrer dans l'antre de l'écriture. Trente-deux écrivains – dont Hallier –, à qui l'auteure avait proposé un questionnaire, ont accepté de répondre et d'entrouvrir les portes de l'atelier des merveilles…

Nicolas Roussellier, *La Force de gouverner : le pouvoir exécutif en France, XIXe-XXIe siècles,* collection « NRF Essais », Gallimard, Paris, 2017

En près de 850 pages, un travail exhaustif et approfondi qui fait fort tristement apparaître que, jusqu'en 2017, la logique du régime en vigueur était l'exact opposé de l'ancien esprit républicain et que, contrairement à beaucoup d'autres pays, la France s'était montrée incapable de mener à bien la modernisation du pouvoir gouvernemental tout en préservant une tradition parlementaire. Historien de la France politique contemporaine, l'auteur est maître de conférences à l'Institut d'études politiques de Paris.

Frédéric Rouvillois, Olivier Dard et Christophe Boutin (sous la direction de), *Le Dictionnaire du conservatisme,* Éditions du Cerf, Monaco, 2017

Trois universitaires juristes et politologues sont à l'initiative de la publication de ce volumineux ouvrage à la thématique bien française.

Dominique de Roux, *L'Ouverture de la chasse,* collection « La Merveilleuse Collection », Éditions L'Âge d'Homme, Lausanne, 1968 (rééd. préface de Jean-Luc Moreau, Éditions du Rocher, Monaco, 2005)

Éditeur et essayiste, l'auteur dirigea les *Cahiers de L'Herne* dont il fut l'un des fondateurs. Dans cet ouvrage figure un chapitre intitulé « Jean-Edern Hallier, un coq en pâte », portrait-charge, quelque peu daté et sans doute en partie inspiré par le dépit, de ce « vieux boucanier » (sic) de Hallier qui, après une longue et amicale relation, dans les années 1960-1966, s'était séparé de lui…

– Cette fois, confie une jeune fille à sa meilleure amie,
je fréquente un intellectuel.
– Vraiment ? Qu'est-ce qui te fait dire ça ?
– L'autre jour, je l'ai vu entrer à la médiathèque municipale…
Et il ne pleuvait même pas.

Dialogue adapté d'une histoire extraite de
l'*Encyclopédie internationale du rire,* éditions Mengès

Isabelle Saporta, *Du courage ! En finir avec ces trahisons qui nous tueront,* Fayard, Paris, 2017

Journaliste et documentariste, l'auteure dénonce les manœuvres des « lobbys tapis dans l'ombre », en particulier dans le domaine de l'agroalimentaire.

Pascal Sevran (Jean-Claude Jouhaud, dit, 1945-2008), *Mitterrand, les autres jours,* Albin Michel, Paris, 1998

Récit d'une amitié avec M. Mitterrand. Ancien garçon-coiffeur puis journaliste à *Ici Paris,* l'auteur reste encore un peu connu des vieilles générations pour avoir animé les émissions de télévision « La Chance aux chansons » (de 1984 à 2000) et « Chanter la vie » (de 2001 à 2007), et coécrit pour la chanteuse Dalida (Iolanda Cristina Gigliotti, dite, 1933-1987) les paroles de « Il venait d'avoir 18 ans ». C'est d'ailleurs par l'intermédiaire de cette chanteuse qu'il fit la connaissance de M. Mitterrand. Le soutien qu'il lui apporta lui valut, après l'élection présidentielle de 1981, d'être nommé chargé de mission auprès du ministère de la Culture. Après la mort de M. Mitterrand, il afficha son soutien à M. Sarkozy. En 2006, sa dénonciation de la vitalité sexuelle des Noirs en Afrique et de leur fertilité dans son livre *Le Privilège des jonquilles* (« faire des enfants, le seul crime impuni », y écrivait-il notamment) provoqua la parution d'articles cinglants dans le quotidien *France-Soir* et d'autres vives réactions. À la suite de cette polémique, la direction générale de France 2 lui exprima dans une lettre rendue publique sa « totale désapprobation » et lui adressa une « très ferme mise en garde ».

Germaine de Staël (1766-1817), *Des circonstances actuelles qui peuvent terminer la Révolution et des principes qui doivent fonder la République en France,* écrit en 1798 (première parution, avec une introduction et des notes par John Viénot, Fischbacher, Paris, 1906; édition sous la direction de Lucia Omacini, H. Champion, Paris, 2009)

L'auteure offre un exemple intéressant des combats que se livrent les écrivains et le pouvoir absolu sous toutes les latitudes.

Patrick Stefanini, avec Carole Barjon, *Déflagration : dans le secret d'une élection impossible,* Éditions Robert Laffont, Paris, 2017

Par un auteur qui fut membre du Conseil d'État, directeur général des services de la Région Île-de-France et directeur de campagne de Mme Pécresse puis de M. Fillon, un volumineux produit marketing de grand label d'édition, sans véritable contenu, mais qui évoque de manière plutôt bien ficelée quelques petits faits anecdotiques. Médiatiquement très promu, le document a surtout pour vertu de confirmer la cécité de l'entourage de M. Fillon et l'aveuglement de ce candidat à l'élection présidentielle. Bénéficiant de soutiens *a priori* très importants (Medef, Union nationale des professions libérales, Conseil supérieur du notariat…) et convaincus que la victoire était assurée, ils n'ont de toute évidence pas perçu qu'ils avaient contre eux des adversaires plus que résolus, en particulier des milliers de jeunes diplômés notaires, déterminés à ne pas être ses victimes, au moins aussi avisés que Mme Méaux, la sciences-poseuse conseillère en communication de M. Fillon, et souvent macronistes de la première heure… Un an après avoir cru en une élection « dans un fauteuil », Patrick Stefanini, né en 1953, en paraît encore déconcerté, tout étourdi voire assommé.

Ezra Suleiman, Frank Bournois et Yasmina Jaïdi, *La Prouesse française,* Odile Jacob, Paris, 2017

Coécrit par le professeur en sciences politiques à l'université de Princeton, le directeur général d'ESCP Europe et la directrice du master Gestion des ressources humaines internationales du Ciffop – Université Paris-II, un livre qui fait valoir la capacité des grandes entreprises françaises à être des acteurs majeurs dans leur secteur, à l'échelle mondiale, en montrant comment elles ont renouvelé non seulement leurs produits et services mais encore leurs pratiques managériales. Hélas – et leurs auteurs ne le dissimulent pas –, les résultats enregistrés sont fort loin de se retrouver à tous les niveaux de la société française…

« J'ai moins appris des écoles que d'une bibliothèque – celle de mon père. »

Jorge Luis Borges, *L'Or des tigres,*
Préface du recueil « L'autre, le même » tome II

Maxime Tandonnet, *Les Parias de la République,* Perrin, Paris, 2017

Par un haut fonctionnaire et auteur de nombreux ouvrages historiques, une évocation de vieilles personnalités politiques français déchues et souvent à juste titre oubliées – le duc de Broglie, Alexandre Millerand, Jean Tardieu, Jules Moch… –, qui se veut entreprise de réhabilitation, parfois tout à fait désespérée, en particulier quand il s'agit des cas Poniatowski ou Cresson, qui ont grandement discrédité la fonction politique… Comment oublier que, notoirement incapable, l'ex-Premier ministre de M. Mitterrand a été poursuivie et condamnée par la Cour de justice de l'Union européenne et qu'en déclarant que tous les Britanniques étaient homosexuels et les Japonais des fourmis, elle humilia la France et les Français.

Brice Teinturier, *Plus rien à faire, plus rien à foutre,* Robert Laffont, Paris, 2017

Un ouvrage au sujet des raisons de la crise de confiance qui a éloigné un très grand nombre de Français de la classe politique en place jusqu'en 2017 et ébranlé notre démocratie. La présidentielle de 2017 était censée opposer trois grandes forces politiques : la gauche, la droite et le Front national. Pour l'auteur, cette tripartition, réelle mais trop ressassée, occulte l'émergence d'une quatrième force qui a progressé au moins autant que le FN en dix ans et qui bouscule plus sûrement encore la gauche et la droite : un puissant courant de pensée qui exprime un dépit et un détachement profonds à l'égard de la politique – « Plus rien à faire de tout ça ! » – ou, plus encore, une rupture rageuse – « Plus rien à foutre de tous ces gens ! », ce que l'auteur appelle la « PRAF-attitude ». Et qui montre à quel point le malaise de la démocratie est important en France, sur fond d'effondrement de la morale, de crise de l'exemplarité, de confusion de la politique et de la téléréalité, de mutations de l'information et d'influence des réseaux sociaux. Brice Teinturier est directeur général délégué de l'institut de sondages Ipsos.

Mathieu Terence, *Le Transhumanisme est un intégrisme,* Éditions du Cerf, Paris, 2016

L'auteur dénonce « dans un brillant pamphlet, à l'humour corrosif, l'aberration de cette idéologie moderne qui ambitionne, grâce au progrès scientifique et technique, d'émanciper l'homme de tous les postulats naturels sur lesquels il fondait jusqu'à présent son existence. » « Derrière le masque des prétendus bons sentiments qui animent les tenants de cette doctrine aux relents messianiques, prônant l'avènement de l'homme tout puisant et immortel, se cache en vérité un dangereux intégrisme visant à éradiquer de la vie toute forme d'aléatoire. » « L'auteur questionne légitimement cette imposture, rappelant que le hasard et l'infini des possibles sur lesquels précisément la vie se construit en constituent tout le sel et la poésie. À ses yeux, nous assistons à une nouvelle phase de l'évolution sociétale se structurant selon des valeurs strictement économiques, l'homme robotisé étant sommé de s'adapter pour se mettre au service de l'ultralibéralisme. Il est plus que temps de résister. (...) Un livre à lire d'urgence pour éviter d'être transformé, comme le souligne ironiquement l'auteur, en un "mutant de Panurge"... » (Cécilia Dutter, *Service Littéraire,* n° 1036, février 2017).

Jean-Pierre Thiollet, *Euro-CV,* Top Éditions, Paris, 1997 ; *Beau linge & argent sale : fraude fiscale internationale et blanchiment des capitaux,* Anagramme éditions, Paris, 2002 ; *Les Risques du manager,* avec Azad Kibarian, collection « Lire Agir », Vuibert, 2008 ; *Créer ou reprendre un commerce,* préface de Sophie de Menthon, Vuibert, 2011 (3e édition)

Fabrice Thomas, avec Aline Apostolska, *Saint Laurent et moi : une histoire intime,* Hugo Document, Paris, 2017

Les personnalités foncièrement dépravées d'Yves Saint Laurent, le célèbre couturier, et de Pierre Bergé, qui fut longtemps le président des Amis de l'Institut François-Mitterrand, sont mises à nu dans ce livre édifiant dont la parution eut un grand retentissement sur les réseaux sociaux au niveau mondial, mais qui fut résolument ignorée de la plupart des médias sur le territoire français. Le récit, qui a bénéficié du concours rédactionnel d'une journaliste professionnelle québécoise, dotée d'une solide expérience de la presse quotidienne, évoque les années de vie commune de l'auteur avec Yves Saint Laurent, de 1990 à 1993, et l'époque passée au service de Pierre Bergé, entre 1982 et 1989. Des pages éclairantes sur les déviances et les perversions de deux grands malades sexuels qui sévirent à Paris ou à Marrakech durant les « années Mitterrand », dites « génération socialiste » ou « génération caissière »... Leur lecture ridiculise et rend pathétiques bien des articles ou des ouvrages dithyrambiques et complaisants qui leur furent consacrés de leur vivant. Dans un entretien télévisé avec le journaliste québécois Denis

Lévesque, Fabrice Thomas avait, il est vrai, prévenu que par comparaison avec Pierre Bergé, Dominique Strauss-Kahn ou Harvey Weinstein n'étaient que « des enfants de chœur » !

> « Avant l'imprimerie, le livre coûtait le prix d'une maison de trois étages, après l'imprimerie il coûtait le prix d'un livre. Aujourd'hui, l'imprimerie, c'est Internet. Ce qui est extraordinaire avec Internet, c'est que c'est la nouvelle bibliothèque universelle. C'est hallucinant de penser que si vous voulez savoir qui est Maxime du Camp, qui a voyagé avec Flaubert, vous cliquez et vous savez qui c'est. »
>
> Gonzague Saint Bris, dans un entretien publié en août 2015 dans *Prog ! L'agenda des sorties en Indre-et-Loire*

Raoul Vaneigem, *Traité de savoir-vivre à l'usage des jeunes générations,* Gallimard, Paris, 1967

L'un des slogans de Mai 1968 « Une société qui abolit toute aventure fait de l'abolition de cette société la seule aventure possible » est attribué à cet auteur, philosophe situationniste.

Mario Vargas Llosa, *Un demi-siècle avec Borges,* traduction de l'espagnol par Albert Bensoussan, collection « Carnets », Éditions de L'Herne, Paris, 2004 (2010)

Pierre Veltz, *La Société hyper-industrielle : le nouveau capitalisme productif,* Éditions du Seuil, Paris, 2017

Partant du constat que la sortie du monde façonné par l'industrie de masse du XXe siècle ébranle toute la société française et prenant le contre-pied des analyses les plus répandues – désindustrialisation, passage à une société de services –, l'auteur décrit le nouveau monde de la globalisation et de la révolution numérique. C'est-à-dire une situation où les services, l'industrie et le numérique convergent vers une configuration inédite : le capitalisme « hyper-industriel ». Cette convergence se déploie à l'échelle mondiale, fait émerger une nouvelle économie, mais aussi une nouvelle géographie. Un grand partage se dessine, entre un archipel de pôles ultra-connectés et des mondes périphériques résiduels. Pierre Veltz est ingénieur et sociologue, qui a notamment publié en 2008 *Le Nouveau Monde industriel* et *La Grande Transition.*

Pierre Vermeren, *Le Choc des décolonisations : de la guerre d'Algérie aux printemps arabes,* Éditions Odile Jacob, Paris, 2015

Un ouvrage ambitieux qui expose de dures vérités historiques et démographiques rarement rappelées et qu'Hallier n'aurait sans doute pas reniées, au sujet notamment des conséquences de la Révolution française, du Premier Empire, de la guerre de 1870, de la Grande Guerre et de la Seconde Guerre mondiale. Il offre en outre un bel éclairage sur le silence et l'aveuglement des élites françaises, mais aussi européennes, qui ont permis dans les anciennes colonies l'accaparement des richesses, la confiscation des libertés et la soumission des peuples. Ancien élève de l'École normale supérieure de Fontenay-Saint-Cloud et spécialiste reconnu du Maghreb, l'auteur est professeur d'histoire contemporaine à l'université de Paris-I – Panthéon-Sorbonne.

Pierre de Villiers (Général d'armée), *Servir,* Fayard, Paris, 2017

D'emblée, le titre du livre montre clairement que l'auteur n'entend pas être confondu avec l'un de ces politiciens qui sévirent ces trois ou quatre dernières décennies sur le territoire français et ne concevaient le verbe « servir » qu'en mode très réfléchi... Pierre de Villiers fut chef d'État-major des armées françaises de 2014 à 2017. Il acheva sa carrière militaire sur une démission fracassante – une première sous la Ve République – à l'issue d'une mésentente avec le président de la République Emmanuel Macron, liée aux difficultés budgétaires de l'État français et à des moyens en inadéquation de plus en plus préoccupante avec l'alourdissement et la multiplication des tâches à accomplir avec succès. « La vraie loyauté, écrit-il dans son ouvrage, consiste à dire la vérité à son chef. La vraie liberté est d'être capable de le faire, quels que soient les risques et les conséquences. (...) La vraie obéissance se moque de l'obéissance aveugle. »

Alain Vincenot, *Vél'd'Hiv : 16 juillet 1942,* préface de Serge Klarsfeld, Éditions de l'Archipel, Paris, 2012 ; *Rescapés d'Auschwitz : les derniers témoins,* Éditions de l'Archipel, Paris, 2015

Par un journaliste chevronné né en 1949, soucieux de rigueur historique, deux ouvrages précieux. Le premier a, entre autres mérites, celui de rappeler que la rafle du Vél'd'Hiv implique une lourde responsabilité de l'État français et de la police nationale. Le second contient les témoignages des derniers réchappés de la « Solution finale ». Auschwitz, ce furent plus de 75 000 déportés pour une « destination inconnue ». Et environ 2 500 survivants en 1945. Moins de 3,5 % des juifs de France ont fait le voyage du retour.

« La mort est le Messie. C'est vraiment ça pour moi. En l'absence de foi, je l'attends avec cette seule inquiétude : comprendre les livres. Chacun comprendra ceux qu'il a aimés. Je saurai ceux que j'aurais dû relire, ceux qu'il m'a manqué de connaître. J'attends de la mort une bibliothèque infinie et aussi la bonne vue de la jeunesse. »

Isaac Singer (1902-1991), cité dans
En haut à gauche, Erri De Luca

Frédéric Worms, *Les Maladies chroniques de la démocratie,* Desclée de Brouwer, Paris, 2017

Un essai qui relève d'un regard neuf et vivifiant en nous incitant à changer notre idée de l'histoire, et de la démocratie, ou des principes démocratiques. « L'erreur, fait valoir son auteur, c'est de poser un but absolu (« la » démocratie) et du coup des obstacles extérieurs qui nous en sépareraient, comme par une sorte d'accident ou de hasard malheureux, sur le chemin radieux de l'histoire. Alors que nous sommes face à une aspiration concrète et aussi face à des obstacles réels, dont chaque dépassement est un progrès partiel, mais absolu, qui définit chaque moment de l'histoire, en sa singularité, et non pas dans le plan d'une histoire universelle. (...) Un moment, oui, avec ses progrès et ses régressions, mais non pas sur le fond d'un « Progrès » ou d'une « Catastrophe ». Formé à la pensée d'Henri Bergson (1859-1941), dont il a dirigé la première édition critique des *Œuvres,* Frédéric Worms enseigne la philosophie contemporaine à l'École normale supérieure, rue d'Ulm à Paris (il en est le directeur adjoint pour la section Lettres).

« Tout bon livre est un attentat. »

Marcel Jouhandeau (1888-1979), *Essai sur moi-même*

Aziz Zemouri et Patricia Marteau, *L'Élysée off,* Fayard, Paris, 2016

Sur la couverture de ce livre figure cette mention : « Secrets, trahisons et coups tordus au palais ». L'annonce n'est pas mensongère. L'existence d'un « cabinet noir » au plus haut sommet du pouvoir y est ouvertement évoquée.

« La Bibliothèque est une sphère dont le centre véritable est un hexagone quelconque, et dont la circonférence est inaccessible. »

Jorge Luis Borges, *Fictions*

Vidéo et radio

Parmi les films

Jean-Edern Hallier, de Jean-Daniel Verhaeghe et Jean Baronnet, 22 minutes, France 3 (distrib. INA), 1978

Diffusé dans le cadre de l'émission « L'Homme en question. Jean-Edern Hallier », de Pierre-Marie Boutang, d'une durée de 65 minutes, sur France 3, le 9 juillet 1978, cet autoportrait se présente comme une ballade quelque peu lyrique à travers des lieux et des fantasmes familiers : le téléspectateur suit ainsi l'écrivain dans la Bretagne de son enfance (posté sur un rocher, ou cheminant devant le manoir paternel, évoquant ses souvenirs avec deux vieillards) ; en Autriche, devant le château de Schonbrunn ou dans une église baroque ; à Paris, marchant avec sa fille Ariane et son amie sous les arcades de la place des Vosges... Et en pensée, en Amérique latine où il séjourna un an. Un document particulièrement intéressant, réalisé par des professionnels réputés.

Trois jours avec Fidel Castro, de Jacques Mény et Pierre-André Boutang, interview de Fidel Castro par Jean-Edern Hallier, 97 minutes, Rennes, Tribauthèque, 1990

Jean-Edern, le fou Hallier, de Frédéric Biamonti, 2006

Coproduit par la Générale de Production/INA/France 5/CNC et incluant des documents de l'Institut national de l'audiovisuel, un documentaire de 52 minutes qui a le mérite d'exister mais qui, manifestement destiné à un public aussi large que possible, se révèle malheureusement riche en poncifs, en images « people » plutôt convenues et en regrettables facilités (ne serait-ce que, d'emblée, dans son titre).

L'Idiot international, un journal politiquement incorrect, de Nils Andersen, documentaire de 52 minutes réalisé par Bertrand Delais et diffusé sur France 5, le 22 janvier 2017, à 22 h 35, puis sur LCP (La Chaîne parlementaire) le 3 novembre 2017, à 20 h 30

Réalisé autour d'images d'archives de l'époque et de témoignages de ceux qui ont collaboré à ce journal d'opposition, ce documentaire évoque de manière quelque peu réductrice et orientée cette atypique aventure éditoriale du début des années 1990. La personnalité d'Hallier n'est heureusement pas absente du propos.

La Story : Jean-Edern Hallier, de Raphaëlle Baillot, documentaire de 17 minutes, diffusé dans le cadre du magazine « Stupéfiant ! » présenté par Léa Salamé sur France 2, le 9 janvier 2017, à 23 h 10

Petit document à vocation commémorative, au contenu sans surprise et sans réel intérêt, mais avec toutefois des images un peu émouvantes d'une visite au domicile de Laurent Hallier, qui, physiquement, ressemble beaucoup à son frère Jean-Edern,

Parmi les émissions de radio

« Radioscopie », émission de 56 minutes animée par Jacques Chancel et diffusée sur France Inter, le 22 septembre 1980

« Tribunal des flagrants délires : Jean-Edern Hallier », émission de 56 minutes présentée par Claude Villers, assisté de Pierre Desproges et de Luis Rego, diffusée sur France Inter, le 9 février 1981

« Radioscopie », émission de 56 minutes animée par Jacques Chancel et diffusée sur France Inter, mi-avril 1988

« Panorama – Littérature et poésie : Jean-Edern Hallier », documentaire de 50 minutes par Jacques Duchâteau, réalisé par Annie Woïchekovska, avec Jean-Edern Hallier, Roger Dadoun, Antoine Spire, Gilles Gourdon, Carmen Bernand, Max Zins. Première diffusion sur France Culture, le 25 octobre 1990 (seconde diffusion le 24 janvier 2017)

Jean-Pierre Thiollet

« Dans une ferme du Poitou
Un coq aimait une pendule
De l'aube jusqu'au crépuscule
Et même la nuit comme un hibou. »

Claude Nougaro (1929-2004), « Le Coq et la pendule », musique de Maurice Vander (Maurice Vanderschueren, dit, 1929-2017)

« La vie est l'arc, et la corde est le rêve. Où est le Sagittaire ? »

Romain Rolland (1866-1944), *Le Voyage intérieur*

« Je suis un non-violent : quand j'entends parler de revolver, je sors ma culture. »

Francis Blanche (Francis-Jean Blanche, dit, 1921-1974), *Pensées, répliques et anecdotes*

Auteur et coauteur de nombreux ouvrages, parus chez divers éditeurs (Vuibert, Nathan, Europa-America, Jean-Cyrille Godefroy, Economica, Dunod, Neva Éditions, Anagramme éditions, Éditions H & D, Frédéric Birr...) et dans différents domaines, Jean-Pierre Thiollet ne s'en cache pas : il ne cesse d'écrire pour apprendre à lire. Originaire du Haut-Poitou (Aquitaine, zone F, Euroland), il est né en décembre 1956 et a reçu sa formation au sein des lycées René-Descartes et Marcelin-Berthelot de Châtellerault, des classes préparatoires aux grandes écoles du lycée Camille-Guérin à Poitiers, puis des universités de Paris-I – Panthéon-Sorbonne, Paris-III – Sorbonne Nouvelle et Paris-IV – Sorbonne. Latiniste nouvelle vague avant l'heure, il a passé à deux reprises en vain le concours d'entrée à l'École normale supérieure de la rue d'Ulm, à Paris. Il n'a pas été admis non plus ni dans un Institut d'études politiques – ce qui laissait plutôt bien augurer de sa créativité voire de sa probité – ni dans une école de journalisme – ce qui autorisait à espérer qu'il ne relèverait pas du journalisme grégaire… En revanche, il a réussi au concours de Saint-Cyr-Coëtquidan (Corps technique et administratif des officiers des armées), mais, à la différence de Jean-Edern Hallier, n'avait ni grand-père ni père général et ne donna pas suite. Il a également obtenu un permis de conduire de catégorie B, sans chercher à décrocher des permis de catégories C ou D qui auraient peut-être pu lui être précieux et devraient à coup sûr mériter davantage de considération.

Diplômé en lettres, arts et droit (DES – diplôme d'études supérieures, maîtrise, licence…), détenteur de divers certificats en anglais et en histoire, il a depuis longtemps conscience, comme le souligne Picabia dans ses *Écrits,* qu'à gagner des parchemins, l'être humain prend tous les risques de perdre son instinct… Il est volontiers catalogué comme journaliste pour s'être vu délivrer une carte de presse dès le début des années 1980 et jusqu'à notre époque, comme écrivain pour avoir publié, sous son nom et sous divers pseudonymes, souvent féminins, des dizaines de livres, et comme conseiller en communication pour avoir été associé à quelques « faits d'armes » dans les coulisses de la politique et les sphères stratégiques de la finance et de l'économie… De 2009 à 2012, il a exercé des fonctions de rédaction en chef et de délégation du personnel à *France-Soir,* l'un des très rares titres de presse écrite française à aura planétaire. En des temps quasi préhistoriques, dont les survivants ne forment plus qu'un dernier carré, il fut journaliste puis rédacteur en chef au *Quotidien de Paris,* au sein du groupe de presse Quotidien présidé par

Philippe Tesson, collaborateur de publications comme *L'Amateur d'Art, Paris Match, Vogue Hommes, Théâtre Magazine* ou *La Vie Française.* Il fut également l'un des responsables nationaux, de 1991 à 2017, de la Cedi (Confédération européenne des indépendants), organisation de défense des commerçants, artisans et travailleurs indépendants, vice-président d'une association mondiale pour l'investissement immobilier et la construction (Amiic), implantée à Genève, dotée de plus de 7 000 contacts dans 25 pays – dont Donald Trump et Susan James ou Jennifer Tennant, membres de la Trump Organization –, animateur de colloques internationaux à Genève, Paris, Bruxelles et Marbella, conseiller auprès de personnalités ou d'entreprises, et membre de la Pavdec (Presse associée de la variété, de la danse et du cirque), présidée par Jacqueline Cartier, avec le soutien amical de Pierre Cardin.

Entre 1982 et 1986, ses communications téléphoniques avec Jean-Edern Hallier ont fait l'objet de nombreuses écoutes illégales. Ce qu'il n'a pas apprécié et encore moins oublié.

Signataire de l'introduction de *Willy, Colette et moi,* de Sylvain Bonmariage, réédité en 2004, il a été, avec Frédéric Beigbeder, Alain Decaux, Mohamed Kacimi et Richard Millet, l'un des invités en 2005 du Salon du livre de Beyrouth, à l'occasion de la parution de *Je m'appelle Byblos.* Depuis 2007, il est membre de la Grande famille mondiale du Liban (RJ Liban). Mais il n'a jamais fait partie du Lions Clubs, du Rotary, ni d'un quelconque ordre, d'une loge ou d'une académie, et s'il lui arrive de jouer du piano pour de vrai ou en rêve, son autobiographie tant attendue ne semble pas près d'être éditée…

« Il suffit selon moi, de sentir que l'on pourrait vivre sans écrire pour qu'il soit interdit d'écrire. »

Rainer Maria Rilke (1875-1928),
Lettre « à un jeune poète », 17 février 1903

« Mais vous savez quelque chose de drôle. La seule chose que l'on doive faire entièrement tout seul et que les gens ont beau faire tout leur possible pour vous aider à faire (sauf en vous laissant seul), c'est écrire. »

Ernest Hemingway (1899-1961), dans *Lettres choisies*

« Dans ce monde, il n'y a rien de certain à l'exception de la mort et des impôts. »

Attribué à Benjamin Franklin (1706-1790)

Remerciements

« Le soleil qui palpite, c'est les pulsations de ton propre cœur. »

Edgar Allan Poe (1809-1849), *Eurêka*

« Toujours par des chemins de traverse, ils gagnèrent les latitudes de Poitiers, Angoulême, Châtellerault et errèrent dans la région de Bordeaux. »

Boris Vian (1920-1959), *Les Remparts du Sud*

Nos chaleureux remerciements vont à toutes les personnes qui ont contribué, à leur manière, de près ou de loin, consciemment ou non, à la poursuite de ce projet éditorial et, en particulier, à Jean-Pierre Agnellet, José Anido et Florence Anido-Fey, Annie Auger, Abdelhadi Bakri, Angelina Barillet, Sébastien Bataille, Philippe et Michèle Bazin, René Beaupain, Jean Bibard, Lella du Boucher, Roland et Claude Bourg, Yasmine Briki, Hélène Bruneau-Ostapowiez, Jean-Pierre Brunois, Laurence Buge, Jean de Calbiac, Florence Canet, Pierre Cardin, Patrice Carquin, Gérard Carreyrou, Jacqueline Cartier (†), Jean-Claude Cathalan, Hamid Chabat, Audrey Chamballon, Paul (†) et Rachel Chambrillon, Jean-Marc Chardon, Laurence Charlot, Olivia Charlot-Guilbert, Xavier du Chazaud, Pierre et Huguette Cheremetiev, Bénédicte Chesnelong, Daniel Chocron, Philippe Cohen-Grillet, Isabelle Coutant-Peyre, Michèle Dautriat-Marre, Blandine Dumas, Bernard Dupret, Jean (†) et Camille (†) Dutourd, Philippe Dutertre, Régis et Eveline Duvaud, Gabriel Enkiri, Suzy Evelyne, Jean Fabris (†), Armelle Fabry, Nassera Fadli, Jean-Pierre Faye, Francis Fehr et Virginie Garandeau, Joaquín et Christiane Ferrer, François Gabillas, Didier Gaillard, Marie-Lise Gall, Roland Gallais, Brigitte Garbagni, Claude et Claudine Garih, Guy (†) et Marie-Josée Gay-Para, Patrice

Gelobter, Kenza El Ghali, Robert Giordana, Jean-François Giorgetti, Pierre Gouirand, Paula Gouveia-Pinheiro, Béatrix Grégoire, Cyril Grégoire, Ursula Grüber, Anne Guillot, Patrice (†) et Marie-Hélène Guilloux, Ariane Hallier, Patricia Jarnier, Dominique et Alexandra Joly, Paulette Jousselin, Jean-Pierre Jumez, Jean-Luc Kandyoti, Chabou et Hopy Kibarian, Reine Kibarian, Bernard Kuchukian, Ingrid Kukulenz, Christian Lachaud, Brigitte Lampin-Boucinha, Marie-France Larrouy, Bernard Legrand, Geneviève Leising, Jean-Louis Lemarchand, Denis Lensel, Albert Robert de Léon, Ghislaine Letessier, Lyne Lohéac, Didier et Pascale Lorgeoux, Christophe-Emmanuel Lucy, Patrick et Sophie Lussault, Fernand Lystig, Monique Marmatcheva (†), Odile Martin, Jean-Claude Martinez, François Mattéi, Brigitte Menini, Laurent du Mesnil, François L. Meynot, Stéphanie Michineau, Bernard Morrot (†), Fabrice Moysan, Gérard Mulliez, Abdallah Naaman, Madeleine et Brigitte Nazaruk, Chloé Neveu, Jean-Loup Nitot, François Opter (†), Nicole Paquin-Desbiolles, Marie-Josée Pelletant, Martine Pujalte, Richard et Gabrielle Rau, Maurice Renoma, Ariel Ricaud, François Roboth, Christian Rossi, Franck Sallet, Philippe Satta, Elisabeth Schneider, Patrick Scicard, Philippe Semblat, Sylvie Sierra-Markiewicz, Jacques Sinard, Véronique Soufflet, Nicolas Tavernier, Francis Terquem, Philippe Tesson, Alain Thelliez, Joël Thomas, Élisabeth, Francine, Hélène, Monique, Augustin, Jean et Pierre Thiollet, Richard et Joumana Timery, David et Genc Tukiçi, Nicolas Turquois, Franck Vedrenne, Evelyne Versepuy, Caroline Verret, Alain Vincenot, André et Mauricette Vonner, Christiane Vulvert, Franz et Judith Weber, Paul Wermus (†), Laurent et Marie-Henriette Wetzel.

« Un jour dans quelques années pas beaucoup
On vous dira vous l'avez connu vous
Vous partirez vexé souvenirs flous et cœur bien triste
(...)
Si j'avais su bien sûr si l'on savait, on regarderait
les gens de plus près »

Jacques Debronckart, « Bernard Dimey »

« Fare thee well ! And if for ever
Still for ever, fare thee well »
(Porte-toi bien. Et si pour l'éternité, toujours
l'éternité, porte-toi bien)

Lord Byron, *Fare Thee Well*

« Tous les soirs
La mort m'invite à dîner
Et la vie me sert à boire
Et la mort se marre. »

Jacques Prévert, *Travaux en cours*

J'aimerais pour ma mort
Qu'on réveille Mozart
Et puis qu'il joue encore
Pour brûler nos cafards.

Gribouille (1941-1968), « J'aimerais »
(paroles de Gribouille,
musique d'Henri Gougaud)

Du même auteur

Improvisation so *piano,* avec le témoignage de Bruno Belthoise et des contributions de Jean-Louis Lemarchand et de François Roboth, Neva Éditions, 2017

Hallier, l'Edernel jeune homme, avec des contributions de Gabriel Enkiri et de François Roboth, Neva Éditions, 2016

88 notes pour piano solo, avec des contributions d'Anne-Élisabeth Blateau, de Jean-Louis Lemarchand et de François Roboth, Neva Éditions, 2015

Piano ma non solo, avec les témoignages de Jean-Marie Adrien, Adam Barro (alias Mourad Amirkhanian), Florence Delaage, Caroline Dumas, de l'Opéra de Paris, Virginie Garandeau, Jean-Luc Kandyoti, Frédérique Lagarde et Genc Tukiçi, et avec des contributions de Daniel Chocron, de Jean-Louis Lemarchand et de François Roboth, Anagramme éditions, 2012

Bodream ou Rêve de Bodrum, avec des contributions de Francis Fehr et de François Roboth, Anagramme éditions, 2010

Carré d'Art : Jules Barbey d'Aurevilly, lord Byron, Salvador Dalí, Jean-Edern Hallier, avec des contributions d'Anne-Élisabeth Blateau et de François Roboth, Anagramme éditions, 2008

Barbey d'Aurevilly ou le Triomphe de l'écriture, avec des contributions de Bruno Bontempelli, de Jean-Louis Christ, d'Eugen Drewermann et de Denis Lensel, Éditions H & D, 2006

Le Droit au bonheur, Anagramme éditions, 2006

Je m'appelle Byblos, préface de Guy Gay-Para, illustrations de Marcel C. Desban, Éditions H & D, 2005

Sax, Mule & Co : Marcel Mule ou l'éloquence du son, Éditions H & D, 2004

Les Dessous d'une présidence, Anagramme éditions, 2002

Beau linge & argent sale : fraude fiscale internationale et blanchiment des capitaux, Anagramme éditions, 2002

Le Chevallier à découvert, Laurens, 1998

« Vers la fin de la pensée unique ? » in *La Pensée unique : le vrai procès,* ouvrage collectif, avec des contributions notamment de Jean Foyer, de Jacques Julliard, de Pierre-Patrick Kaltenbach, de Françoise Thom et de Thierry Wolton, Economica – Jean-Marc Chardon et Denis Lensel éditeurs, 1999

Histoire familiale des hommes politiques français, ouvrage collectif, avec une préface de Marcel Jullian, Archives et Culture 1997

Euro-CV, Top Éditions, 1997

L'Anti-Crise, avec Marie-Françoise Guignard, Dunod, 1994

Réussir ses trois premiers mois dans un nouveau poste, avec Marie-Françoise Guignard, Nathan, 1992 (*Os três primeiros meses num novo emprego,* traduit en portugais par Maria Mello, collection « Biblioteca do desenvolvimento pessoal », Publicações Europa-América, 1993)

Le Guide du logement, Nathan, 1990

« La dérisoire fascination du faux » in *Utrillo, sa vie, son œuvre,* ouvrage collectif, Éditions Frédéric Birr, 1982

Avec le temps…
Avec le temps, va, tout s'en va
On oublie le visage et l'on oublie la voix
Le cœur, quand ça bat plus, c'est pas la peine d'aller
Chercher plus loin, faut laisser faire et c'est très bien.

Léo Ferré, *Avec le temps*

ISBN : 978-2-35055-247-7

Imprimé en France